아이세움 논술 | 명작 46

테스

감수 및 개발 참여

감수 박우현

동국대학교 철학과를 졸업하고 동 대학원에서 비트겐슈타인의 〈논리철학논고〉에 관한 연구로 박사 학위를 받았습니다. 한우리독서문화운동본부 교육원장으로 활동했습니다. 그동안 쓴 책으로는 〈논리를 꿀꺽 삼킨 논술〉 등이 있습니다.

편집·진행 비단구두

비단구두는 밥만큼 아이들 책을 좋아하는 사람들이 모여 어린이들에게 꼭 필요한 이야기와 철학이 담긴 책을 만드는 아동 도서 전문 기획회사입니다.

캐릭터 디자인 아이원커뮤니케이션(www.ionecom.co.kr)

아이원커뮤니케이션은 도전하는 창조적 정신과 책을 사랑하는 열정으로 우리 생활 곳곳에 꼭 필요한 좋은 책을 만들고자 탄생한 Book 콘텐츠 기획·제작 전문 회사입니다.

아이세움 논술 | 명작 46

테스

원작 토머스 하디 | **엮음** 권민정 | **그림** 이창우 | **감수** 박우현
펴낸날 2008년 4월 25일 초판 1쇄, 2014년 1월 10일 초판 8쇄
펴낸이 김영진

본부장 조은희 | **사업실장** 김경수
편집장 박철주 | **편집·진행** 박희정, 고여주 | **디자인** 서남이
펴낸곳 (주)미래엔 | **주소** 서울시 서초구 잠원동 41-10
전화 마케팅 02)3475-3843~4 편집 02)3475-3924 | **팩스** 02)541-8249
등록 1950년 11월 1일 제16-67호 | **홈페이지** www.i-seum.com

ISBN 978-89-378-4863-6 74840
ISBN 978-89-378-4116-3 (세트)

· 책값은 뒤표지에 있습니다.
· 파본은 구입처에서 교환해 드리며, 관련 법령에 따라 환불해 드립니다. 다만, 제품 훼손 시 환불이 불가능합니다.

 아이세움은 (주)미래엔의 어린이책 브랜드입니다.

아이세움 논술 | 명작 46

테스

토머스 하디 원작
권민정 엮음 | 이창우 그림

아이세움
i-seum

좋은 책 한 권이 열 학원보다 낫습니다

세월이 가도 우리의 가슴에 남아 있는 책이 고전이요, 시간이 흘러도 우리의 머리에 오래 기억되는 작품이 명작입니다. 좋은 책은 읽는 것만으로도 가치가 있습니다. 어렸을 때 감동 깊게 읽은 책들은 세월이 가도 내 몸에 향기로 남습니다.

책의 향기는 그 어떤 향기보다 향기롭습니다.

독서를 한 후에 생기는 느낌은 상당히 중요합니다. 나의 느낌은 나만의 재산입니다. 그 느낌을 말로 표현하거나 글로 써 보면 한 번 더 생각하는 사람이 됩니다. 한 번 더 생각하면 생각이 깊어지고 정확해집니다.

〈아이세움 논술 | 명작〉은 '좋은 책을 한 번 더 읽자'는 의도에서 만든 것입니다. 책은 읽어야 내 것이 됩니다. 느낌으로 다가오고 생각으로 다가옵니다. 그러나 학년이 올라가면 올라갈

수록 느낌만이 아니라 자신의 생각도 중요해집니다. 나의 생각이 곧 내가 누구인지를 알려 주는 것이기 때문입니다.

어떤 문제에 대해 자신만의 생각을 적절한 이유와 더불어 쓰는 것이 논술입니다. 〈아이세움 논술 I 명작〉은 책을 다 읽은 후에 그와 관련된 것들을 한 번 더 생각해 보는 데 도움을 줍니다. 그리하여 우리가 읽은 명작을 내 것이 되도록 도와 줍니다. 논술 워크북과 가이드북이 그 역할을 할 것입니다.

좋은 책 한 권은 열 학원보다 낫습니다.

쓰기가 싫으면 그냥 재미있는 책만 읽어도 됩니다. 명작을 읽는 것만으로도 훌륭한 공부를 하는 것이니까요. 그러다 어느 순간에 쓰고 싶은 생각이 들면 써 보세요. 생각나는 대로 써도 좋습니다. 쓴다는 사실만으로도 한 단계 발전한 것이니까요.

가슴에 쓰는 글은 나를 위해 쓰는 글이며 종이에 쓰는 글은 역사를 위해 쓰는 글입니다. 글이 역사를 만듭니다. 명작과 더불어 향기를 느끼고 자신의 글과 더불어 생각하는 사람이 되기를 진심으로 바랍니다.

전 한우리독서문화운동본부 교육원장

양우현

명작 읽기의 소중함

열심히 책만 읽기에는 너무 고단한 우리 학생들에게 다시 '논술' 열풍이 불고 있다. 학생들이 스스로 즐겨 그렇게 된 것은 아니지만, 학생들을 위해 결코 나쁜 일이라고만 말할 수는 없을 것이다.

새삼스러운 얘기일 터이지만 좋은 글을 쓸 수 있는 가장 빠른 길은 "많이 읽고(다독多讀) · 많이 쓰고(다작多作) · 많이 생각(다상량多商量)"하는 삼다(三多)밖에 다른 것이 없다.

먼저 다독이 문제다. 많이 읽는다고 해서 아무 책이나 마구잡이로 읽는 것을 다독이라고 하지는 않는다. 많이 읽되, 좋은 책을 읽을 때 그것이 다독이다. 그렇다면 어떤 책이 좋은 책일까?

우선 고전이라 할 명작에는 사람이 세상을 살면서 알아야 할 온갖 삶의 지혜와 가치가 담겨 있다. 가령 〈지킬 박사와 하이드〉에서는 인간 내면에 혼재해 있는 선과 악의 대립을, 〈동물농장〉

에서는 삶을 한없이 타락시키는 전체주의와 아름다운 삶을 지향하는 인간의 무한한 이상의 끊임없는 갈등과 투쟁에 대한 반추를 해 볼 수 있다. 이런 고전을 재미있게 읽고 생각하는 기회를 갖는 것이 바로 좋은 글을 쓸 수 있는 바탕이다. 문제는 고전이 너무 어렵고 분량이 방대하다는 점이다.

이번에 출간된 〈아이세움 논술 Ｉ 명작〉은 원전의 내용을 재구성해 어린 학생들이 쉽게 고전과 친해지도록 만들었다. 지루함을 덜기 위해 캐릭터를 사용해서 그 캐릭터들과 끊임없이 교감하며 끝까지 책을 손에서 놓지 못하게 만든 것도 이 시리즈의 특색이요 장점일 터이다. 책 뒤에 논술을 학습할 수 있도록 논술 워크북과 가이드북을 제공하여 '학습과 논술'이라는 두 문제를 다 해결할 수 있도록 배려한 점도 주목할 만하다. 어린 학생들이 편안하고 소중한 독서 경험을 하리라 본다.

물론 이 명작선은 완역본이 아니므로 이것만 읽어서는 해당 작품을 제대로 읽었다고 말할 수 없을 것이다. 그러나 훗날 학생들이 성장하여 완역본으로 다시 읽고 올바르게 이해하는 데 큰 도움이 되도록 세심한 배려를 했다.

이 점도 이 시리즈가 귀하고 값진 이유이다.

시인
신경림

| 차 례 |

안녕, 난 **번빠리**야.
사람의 운명은
정해져 있는 걸까?

나 **뒤뚱이**는
운명에 굴복하지 않는
사람이 될 거야. 불행에
꿋꿋하게 맞서야 행복으로
가는 문이 열린단다.

박테리아   고로케   튜브   팬티맨

PART 1

PART 1 PART 1
PART 1 PART 1 PART 1
PART 1 PART 1 PART 1 PART 1
PART 1 PART 1 PART 1 PART 1 PART 1
PART 1 PART 1 PART 1 PART 1 PART 1 PART 1
PART 1 PART 1 PART 1 PART 1 PART 1
PART 1 PART 1 PART 1 PART 1
PART 1 PART 1 PART 1
PART 1 PART 1

명작 살펴보기

테스의 앞날에
드리워진 불행의 그림자!

PART 1

명작 살펴보기

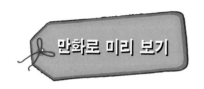

가족과 사랑, 어느 것이 더 소중할까요?

뒤뚱이와 번빠리가 기차 여행에 나섰어요. 뒤뚱이가 테스 누나에게 궁금한 게 있다며 톨버데이스의 목장으로 간다는군요. 아름다운 테스와의 만남을 기대하며 기차 여행을 떠나볼까요!

테스의 앞날에 짙은 먹구름이 몰려와도 사랑하는 가족과
에인절이 있는 한 꿋꿋이 이겨 낼 수 있을 거예요. 자, 그럼
순수한 시골 처녀 테스의 **삶 속으로 들어가 볼까요?**

내 운명은 내가 결정한다

영국의 작가 토머스 하디가 1891년에 발표한 장편 소설 〈테스〉는 아름답고 순진한 시골 처녀가 가혹한 운명과 위선에 가득 찬 사회에 희생돼 비극적 종말을 맞이하는 슬픈 이야기예요.

하디는 테스의 삶을 통해 인간의 힘으로는 어찌할 수 없는 운명의 장난을 표현하려고 했어요. 〈테스〉가 발표된 19세기는 다윈의 〈종의 기원〉의 발표 이후 신에 대한 믿음이 많이 흔들리고 있었지요. 하디 역시 신의 존재보다는 인간의 운명은 인간 스스로 어찌해 볼 도리 없는 초자연적인 힘에 의해 결정된다고 믿었어요.

그렇지만 하디는 테스를 결코 나약하게만 그리지는 않았어요. 테스는 가난하고 고된 삶을 살아 내며 운명 앞에 무릎을 꿇었다가도 거침없이 일어나 당당하게 자신의 앞날을 헤쳐 나갔으니까요.

순수하지만 강인한 농촌 처녀가 꿈꾸는 희망

테스는 가난하지만 성실하게 살아가는 건강하고 활달한 농촌 처녀예요. 그러나 집안이 가난해 무늬만 친척인 집에 하녀로 들어갔다가 알렉에게 순결을 빼앗기지요. 그 뒤 테스는 새 삶을 찾아 떠나요. 목장에서 일하게 된 테스는 목사의 아들 에인절을 만나 결혼을 해요. 결혼 첫날밤에 알렉과의 과거를 솔직히 고백하며 용서를 구하지요. 그러나 에인절은 이를 받아들이지 않고 테스를 떠납니다. 테스는 아버지가 세상을 떠나자 가족을 위해 알렉의 도움을 받으며 살게 되지요. 이때 에인절이 찾아와요.

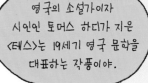

영국의 소설가이자 시인인 토머스 하디가 지은 〈테스〉는 19세기 영국 문학을 대표하는 작품이야.

어려움 속에서도 희망을 꿈꾸며 열심히 살아왔던 테스가 이번에는 어떤 선택을 하게 될까요?

우리 사회에 뿌리 깊이 박힌 남녀 불평등

1891년 출간된 〈테스〉는 19세기 영국 사회가 안고 있는 몇 가지 생각들을 보여 주고 있어요. 테스의 비극적인 운명에는 당시 영국 사회의 인습과 편견이 많은 영향을 끼치고 있지요.

목사의 아들 에인절은 자신의 잘못은 용서를 받고 싶어 하면서도 똑같은 잘못을 저지른 테스는 용서하지 못하고 브라질로 떠나 버려요.

작가 토머스 하디는 〈테스〉를 통해 남녀간의 이러한 불평등을 고발하고 싶었다고 해요. 오늘날 우리 사회에 뿌리 깊이 박힌 남녀간의 불평등을 생각해 보며 〈테스〉를 읽어 보세요.

▲ 토머스 하디는 〈테스〉를 통해 당시 영국 사회의 그릇된 인습을 고발하고 있어요.

열어 봐!

Start 발단

순진한 시골 처녀 테스는 가난한 집안 살림을 돕기 위해 친척이라고 믿고 있는 더버빌 가에 들어가 하녀로 일한다. 테스는 불길한 느낌으로 다가오는 더버빌 가의 아들 알렉을 경계하지만 바람둥이 알렉의 유혹에 넘어가 아이를 갖는다.

expansion 전개

남녀 사이에 중요한 것은 사랑이라고 믿는 테스는 집으로 돌아와 아이를 낳는다. 알렉의 도움 없이 혼자 힘으로 키울 결심을 하지만 아기가 죽자 테스는 톨버데이스 목장으로 가 새 생활을 시작한다.

climax 절정

그곳에서 만난 에인절이 청혼하자 테스는 청혼을 받아들여 결혼을 한다. 결혼식 날 테스가 과거를 고백하자 에인절은 브라질로 떠난다. 테스는 슬픔에 잠겨 친정으로 돌아온다.

ending 결말

엎친 데 덮친 격으로 아버지가 세상을 떠나자 식구들을 위해 알렉이 내미는 손길을 거절하지 못한 테스는 알렉과 함께 지낸다. 다시 찾아온 에인절이 용서를 구하자 테스는 불행의 뿌리인 알렉을 살해한다.

나보다 가족을 먼저 생각하는 테스

〈테스〉는 19세기 영국 사회의 그릇된 사회적 인습을 고발한 작품이야.

청순한 시골 처녀 테스는 어려운 집안 살림을 돕기 위해 집을 떠나 더버빌 가의 하녀로 들어가요. 이런 테스에게 운명의 여신은 가혹한 미소만 짓지요. 성실한 삶을 살기 위해, 진실한 사랑을 찾기 위해 발버둥치지만 운명은 짓궂은 장난만을 걸어옵니다. 그러나 테스는 결코 삶을 포기하지 않아요. 사랑하는 가족을 돌봐야할 책임을 느꼈기 때문이지요.

사랑하는 가족을 나 몰라라 하고 자기만을 생각하며 다른 삶을 살았다면 테스는 행복한 삶을 살았을까요?

▲ 토머스 하디의 생가로 〈테스〉도 이곳에서 씌어졌어요.

〈테스〉는 인간의 운명과 환경과의 관계에 대해 생각해 보게 해 준단다.

잠시 휴식! 머핀을 먹고 〈테스〉를 읽어 보세요!

PART 2
PART 2 PART 2
PART 2 PART 2 PART 2
PART 2 PART 2 PART 2 PART 2
PART 2 PART 2 PART 2 PART 2 PART 2
PART 2 PART 2 PART 2 PART 2 PART 2 PART 2
PART 2 PART 2 PART 2 PART 2 PART 2
PART 2 PART 2 PART 2 PART 2
PART 2 PART 2 PART 2 PART 2
PART 2 PART 2

명작 읽기

거대한 운명의 힘이
테스의 삶을 어떻게 뒤흔드는지
작품 속으로 들어가 볼까?

PART 2

명작 읽기

1장

아름다운 테스

5월 하순 어느 날이었다. 물이 오르기 시작한 나뭇가지에 달린 연초록 이파리들이 한낮의 햇빛에 반짝거렸다.

블랙무어 계곡의 나무 그늘을 지나며 존 더버필드는 콧노래를 흥얼거렸다. 술에 취해 지그재그로 걷는 그의 한쪽 팔에는 텅 빈 달걀 바구니가 덜렁거렸다. 존은 장에 가 달걀을 팔고 집으로 돌아가는 길이었다. 비틀거리며 걷던 존은 말을 타고 오는 목사와 마주쳤다.

"안녕하세요, 목사님?"

"안녕하시오, 더버필드 경."

"목사님, 지난번 장날에 뵈었을 때도 인사를 드렸더니

지금처럼 '안녕하시오, 더버필드 경.'이라고 하셨죠? 한 달 전쯤에도 그러셨고요."

"그랬지요."

"목사님은 가난한 장사꾼에 불과한 제게 왜 자꾸 '경'이라는 호칭을 쓰시죠?"

존의 물음에 목사는 조금 망설이다가 입을 열었다.

"나는 오래 전부터 고대 서적을 연구해 왔소. 어느 책에서 확인해 보니 당신은 유서由緖 깊은 기사 가문인 더버빌 가의 직계 후손이 분명하오. 영국에서는 꽤 알아주는 가문이지요."

"그래요? 저는 처음 듣는 이야기입니다."

존은 깜짝 놀라 눈을 휘둥그렇게 떴다.

"사실이오. 흐음, 턱을 들어 보겠소? 두루뭉술한 턱과 뭉툭한 콧날……. 더버빌 가문의 코와 턱이 틀림없소. 더버빌은 영국 역사책에도 나오는 유명한 가문이오. 만약

유서(由緖) : 사물이 전하여 내려오는 까닭과 내력.

당신네 집안이 몰락하지 않았다면 당신은 더버빌 경이 되었을 거요."

"목사님, 어안이 벙벙하군요. 저는 저희 가문이 이 지역에서 제일 형편없다고 생각해 왔거든요. 그런데 목사님은 저의 가문이 그렇게 대단하다는 걸 언제 아셨나요?"

쯧쯧, 가문이 뭐 그리 대단한 것이라고⋯⋯. 조선 시대에도 가문을 중요시해 당파 싸움이 끊이지 않았어.

존은 흥분을 감추지 않고 다시 물었다.

"나는 오래전부터 더버빌 가문의 내력을 조사해 왔소. 지난봄 당신이 타고 가는 마차의 문장紋章이 낯익어 유심히 살펴보니 더버빌 가문의 문양과 똑같더군요. 그래서 당신 할아버지와 아버지 대를 연구해 보니 더버빌 가문이 틀림없었소."

문장(紋章) : 국가나 단체 또는 집안 따위를 나타내기 위해 사용하는 상징적인 표지. 도안한 그림이나 문자로 되어 있음.

목사의 말에 존도 뭔가 기억난다는 듯이 손바닥을 탁 쳤다.

"아, 사실 저도 우리 집안이 블랙무어로 오기 전에는 잘살았다고 들었습니다. 하지만 '옛날에는 말이 두 필이 있었는데, 지금은 한 필만 남았구나!' 정도로만 생각했지요. 그런데 지체 높은 더버빌 집안과 한 핏줄이라니 놀랍군요."

존의 들뜬 모습을 보자 목사는 괜한 헛바람만 불어넣은 것 같아 자리를 뜨며 말했다.

"뭔가를 기대하지는 마시오. 당신 집안은 이제 망했으니까. 그럼 이만……."

"목사님, 제 조상들은 어디 묻혀 있나요?"

"킹스비어란 곳이오. 그곳에 더버빌 가 조상의 가족 묘지가 있소."

"조상들이 남긴 저택이나 토지 같은 것은 없나요?"

"전혀 없소. 존, 이제 당신 가문은 역사 학자들에게 다소 흥미가 있을지 몰라도 그 이상은 아니오."

이야기를 끝낸 목사는 서둘러 말을 돌렸다.

존은 달걀 바구니를 내려놓은 채 풀이 무성한 둑에 앉아 골똘히 생각에 잠겼다. 멀리서 한 젊은이가 걸어왔다. 존은 젊은이에게 가까이 오라고 손짓을 했다.

"자네, 내 심부름 좀 하게나."

젊은이는 허름한 차림의 존이 명령하듯이 말하자 기분이 나빴다.

"아저씨, 자네가 뭡니까? 제 이름도 모르세요?"

"알아, 안다고. 프레드, 자네한테만 비밀 이야기를 해 줄까? 조금 전에 알게 된 사실인데 말이야. 내가 기사 가문의 후예라네. 존 더버빌 경, 그게 바로 나일세."

존은 매우 기분이 좋은 듯 데이지 꽃이 활짝 핀 둑 위에 벌렁 드러누웠다.

"우리 가문 이야기는 역사책에도 기록되어 있다네. 프레드, 혹시 킹스비어란 데를 아나?"

"당연히 알지요. 그린힐 장날에 몇 번 가 본 적이 있거든요."

"거기에 우리 선조先祖들이 묻혀 있다는구먼."

"그린힐은 아주 작은 시골 동네인데요, 뭐."

"동네가 작으면 어떤가. 그곳에 수백 명의 우리 조상이 갑옷과 보석을 휘감고 납으로 만든 관 속에 누워 있다는 사실이 중요하지. 이 지역에서 나보다 더 뼈대 있는 조상을 둔 사람은 없다고."

"흥, 그래요?"

헛바람이 들어도 단단히 들었군.

"프레드, 지금 당장 말롯 마을로 가게. 그곳에 있는 퓨어 드롭 술집에 가서 나한테 마차를 보내라고 해. 술도 한 병 곁들여서 말이야. 외상값은 내 앞으로 달아 두고. 그러고 나서 여기 있는 달걀 바구니를 우리 집에 가져다주게. 집사람한테는 내가 곧 갈 테니 기다리라고 해."

프레드가 콧방귀를 뀌자 존은 주머니에서 1실링을 꺼

선조(先祖) : 한집안의 조상.

냈다.

"자, 심부름 값이야!"

돈을 받자 프레드의 태도가 확 달라졌다.

"더버필드 경, 정말 고맙습니다. 제가 할 일이 좀 더 없을까요?"

"우리 집에 가거든 저녁 식사로 양고기 튀김을 준비하라고 해. 안 된다면 검은 소시지로 하라고 하고. 그것도 안 된다면 곱창도 괜찮지."

"잘 알았습니다, 더버필드 경."

프레드가 달걀 바구니를 들고 떠나려 하자 마을 쪽에서 음악 소리가 들려왔다.

"저게 무슨 소리지? 나를 위한 연주인가?"

얼큰하게 취한 존이 중얼거렸다.

"오늘이 '5월의 무도회'가 열리는 날이잖아요."

프레드가 달려가며 소리쳤다.

'5월의 무도회'는 해마다 5월이면 열리는 말롯 마을의 전통 행사로 농사일에서 해방된 마을의 젊은 여인들이 흰

옷으로 한껏 치장을 내고 춤을 추며 즐기는 날이었다.

농촌 처녀들이 왁자하게 떠들며 퓨어 드롭 술집을 지날 때였다.

"어머나, 테스! 저기 마차를 타고 가시는 분 말이야. 너의 아버지 아니니?"

호들갑스러운 친구의 말에 한 처녀가 고개를 돌렸다. 머리 위에 빨간 리본을 맨 이 처녀가 바로 존 더버필드의 딸 테스 더버필드였다. 표정이 풍부한 열여덟 살의 테스는 장밋빛 입술에 천진스럽게 빛나는 두 눈 때문에 흰옷을 입은 처녀들 가운데 가장 돋보였다.

킹스비어에 훌륭한 조상님들의 묘지가 있다네.

기사를 지낸 조상님들이 묘지의 납관 속에 누워 계신다네!

처녀들은 술에 취한 존의 노랫소리를 듣고 킥킥거렸다.

"네 아버지가 술을 너무 많이 드셨나 봐. 이상한 노래까지 부르시고 말이야."

친구들이 또다시 까르르 웃음을 터뜨렸다.

"피곤하신데다 술을 좀 드셔서 그런 거야. 우리 아버지를 놀리면 더 이상 너희하고 어울리지 않을 거야!"

테스의 커다란 두 눈에 눈물이 고였다. 처녀들은 그제야 테스 곁으로 다가와 사과했다.

얼마 지나지 않아 테스는 마음의 안정을 되찾았다. 세상 물정物情 모르고 순진하기만한 테스는 얼굴 가득 환한 미소를 띠고는 친구의 어깨를 버드나무 가지로 톡톡 치면서 먼저 장난을 걸었다.

마침내 일행은 무도회가 열리는 숲 속으로 들어섰다. 처음에는 여자들만 모여 춤을 추었으나 하루 일이 끝날 무렵이 되자 마을 청년들이 하나 둘 모여들었다. 그들 가운데 상류층으로 보이는 세 청년의 모습이 눈에 띄었다. 이들은 작은 배낭을 메고 손에는 단단한 지팡이를 짚고

물정(物情) : 세상의 이러저러한 실정이나 형편.

있었다. 블랙무어 계곡을 지나는 여행객 같아 보였다.

　서로 닮은 이들은 형제간이었다. 맏이는 점잖은 목사님
처럼 흰 넥타이에 목까지 올라오는 조끼와 챙이 좁은 모
자를 썼고, 둘째는 평범한 대학생 차림이었다. 자유분방
해 보이는 막내는 무도회에 푹 빠져 떠날 마음
이 없는 듯했다. 마침내 그는 배낭을 내려
놓고 지팡이도 내팽개친 채 춤추는 무리
쪽으로 다가갔다.

　"에인절, 어디 가는 거니?"
　큰형이 소리쳤다.

　"저 아가씨들하고 잠깐만 춤추고 올게
요. 많이 늦지 않을 거예요."

　"말도 안 되는 소리! 시골 말괄량이 아가씨
들하고 춤을 추다니, 누가 보면 어쩌려고 그래? 빨리 가
자. 읽을 책도 한참 밀렸단 말이야."

　"알았어요. 5분만 추고 뒤따라갈 테니 먼저 가세요."

　말리던 두 형은 막내의 고집을 꺾지 못한 채 발걸음을

옮겼다.

　풀밭으로 달려간 에인절은 가장 가까이 있는 처녀에게 춤을 청했다. 춤추는 데 흠뻑 빠진 에인절은 교회 종소리를 듣고서야 형들과의 약속이 떠올랐다. 서둘러 무리에서 빠져나온 에인절은 흰옷을 입고 춤추는 처녀들 가운데 테스와 눈이 마주쳤다. 테스의 두 눈 속에 자기를 선택해 주지 않은 청년에 대한 원망이 어려 있었다.

　'아름다운 저 아가씨는 누굴까? 저 아가씨와 춤추고 싶은걸. 하지만 형들이 기다리잖아.'

　에인절은 아쉬운 마음을 접고 그 자리를 떠났다. 테스는 다른 남자와 춤을 추면서 에인절의 뒷모습을 훔쳐보았다. 마침내 에인절이 노을 속으로 사라지자 테스는 춤에도 흥미를 잃었다. 문득 술 취한 아버지의 모습이 떠올라 불안해진 테스는 서둘러 집으로 돌아왔다.

　촛불 하나만 달랑 켜 있는 집안 분위기는 매우 썰렁했다. 테스는 여섯이나 되는 어린 동생들을 돌보지 않고 무도회에 갔던 일이 죄스럽기만 했다. 하지만 어머니의 표

정은 매우 밝았다.

"잘 들어왔다, 테스. 아버지가 목사님한테 대단한 얘기를 들으셨다는구나. 글쎄, 우리 집안이 이 지방을 통틀어 가장 신분이 높은 집안이라지 뭐냐. 우리 집안의 진짜 성은 더버필드가 아니고 더버빌이래. 그 일 때문에 아버지 기분이 굉장히 좋으시다는구나."

"그럼 우리 집안에도 좋은 일이 생기는 건가요? 대체 아버지는 어디 계세요? 내일 많은 벌통을 싣고 먼 길을 가려면 일찍 주무셔야 하잖아요."

테스가 심드렁한 태도를 보이자 어머니는 변명하듯이 조심스럽게 입을 열었다.

"우리 가문이 뼈대 있는 가문이라는 말을 듣고 술집에서 술을 드신단다. 이제 모시고 와야겠구나."

어머니는 밤이 깊어서야 술에 취해 휘청거리는 아버지를 부축하고 돌아왔다.

"킹스비어에는 우리 집안 가족 묘지가 있다네!"

테스의 어머니도
아버지와 똑같은
사람이군.

술에 취한 아버지는 노래를 중얼거리면서 침대 위에 벌렁 드러누웠다. 그러고는 이내 큰 소리로 코를 골았다. 아버지의 모습을 지켜보던 테스가 어머니에게 말했다.

"아무래도 아버지는 내일 새벽에 벌통을 싣고 떠나시지 못할 것 같네요. 제가 동생과 함께 갔다 올게요."

테스는 벌통을 늦지 않게 배달하기 위해 아침 일찍 일어났다. 잠이 덜 깬 동생 에이브러햄을 깨운 테스는 마차에 벌통을 싣고는 안개가 자욱하게 낀 길을 달렸다. 옆자리에 앉은 에이브러햄은 꾸벅꾸벅 졸았다.

테스는 말의 고삐를 쥔 채 어려운 집안 살림을 걱정하다가 잠깐 한눈을 팔았다. 순간 마주 오던 우편 마차가 테스가 몰던 늙은 말과 부딪치고 말았다.

"이히힝!"

"프린스……."

집안에 남아 있던 단 한 마리의 말이 죽어 버렸다. 다른 집안 같았으면 그저 단순한 사고에 불과했을 테지만 테스의 집안 형편으로 볼 때 이번 일은 몰락을 의미했다.

집으로 돌아온 테스는 부모의 얼굴을 똑바로 쳐다볼 수가 없었다. 그러나 어머니는 화를 내기는커녕 조용한 목소리로 딸을 타일렀다.

"테스, 살다 보면 오르막도 있고 내리막도 있는 법이란다. 프린스는 우리 집안의 소중한 말이지만 제 목숨을 다하고 죽었으니 자책하지 마라."

아버지는 테스의 눈치를 살피며 말을 꺼냈다.

"퓨어 드롭 술집에서 들었는데 체이스 숲 끝자락에 가면 더버빌 부인이라고 부잣집 마님이 사신대. 그분이 우리 친척이라는구나. 네가 찾아가서 도움을 청해 보렴."

테스는 낯선 사람을 찾아가 부탁하는 일이 죽기보다 싫었지만 지금 처지로는 어쩔 수 없었다.

"좋아요. 제 실수로 프린스가 죽었으니까 가 볼게요."

2장
불길한 느낌

오래된 가문답지 않게 더버빌 가의 저택은 새로 지은 것이었다. 지금은 죽고 없는 성실한 장사꾼 스토크 노인은 돈을 모아 이 고장으로 이사 온 뒤 역사책을 뒤적이다가 몰락한 더버빌 가문을 찾아내 자신의 성으로 삼았다. 이렇게 해서 귀족으로 자리 잡은 더버빌 가는 테스 집안과 아무런 상관도 없었다. 하지만 테스가 이런 사실을 알리 없었다.

웅장한 저택이 주는 위압감에 눌린 테스는 선뜻 안으로 들어서지 못하고 머뭇거렸다. 대문 앞에서 한참을 망설이던 테스에게 한 청년이 다가왔다. 가무잡잡한 피부에 입술이 두툼한 게 인상이 썩 좋아 보이지는 않았다. 이 청년이 바로 죽은 스토크 노인의 외아들 알렉 더버빌이었다.

"아름다운 아가씨, 어떻게 오셨소?"

알렉은 당황해 하는 테스를 보고 재미있다는 듯이 웃으며 말을 이었다.

"난 알렉 더버빌이오. 나를 만나러 왔소? 아니면 어머니를 만나러 왔소?"

"더버빌 부인을 뵈러 왔어요."

"어쩌지? 지금은 어머니가 편찮으셔서 뵐 수 없소. 어머니에게 전할 말이 있다면 내게 해요."

도움을 청하러 왔다는 말이 입 밖으로 나오지 않아 테스는 고개를 떨구었다.

"혹시 어머니 친구 분의 따님이오?"

"아, 아니에요."

"그럼 무슨 일로 더버빌 부인을 만나러 왔소?"

"저는 우리가 이 댁하고 친척이라는 걸 말씀드리러 왔어요."

"스토크 집안이오?"

"아뇨, 더버빌 집안이에요."

"아아, 더버빌⋯⋯."

"저는 테스 더버필드라고 해요. 원래는 더버빌인데 성이 바뀌었대요. 하지만 저희 가문도 더버빌 가문처럼 방패防牌 위에 사자가 뒷발로 서 있고 그 위에 성채를 새긴 은빛 문장을 쓴답니다."

"은빛 성채는 우리 가문의 문장 꼭대기 장식이 확실하오. 그럼 우리는 서로 친척이 맞군요."

"네, 저희도 더버빌 가문이에요. 그런데 사고로 한 마리뿐인 말을 잃어버려 도움을 청하러 온 거예요."

테스는 어려운 집안 사정을 짤막하게 이야기했다. 그리고 조금 전에 타고 온 마차로 돌아가야 한다고 덧붙였다.

"트랜트리지 네거리에서 마차가 돌아오려면 아직 시간이 남았군. 그때까지 나와 정원을 둘러보며 시간을 보내

방패(防牌) : 칼이나 창, 화살 등을 막는 데 쓰던 무기.

도록 하죠."

알렉은 턱을 만지작거리면서 말했다.

테스는 빨리 돌아가고 싶었으나 부탁을 하러 온 처지인지라 알렉의 제안을 쉽게 거절하지 못했다. 테스에게 이곳저곳을 구경시켜 주다 장미 정원에 들른 알렉은 장미꽃을 꺾어 테스의 모자에 꽂아 주었다. 활짝 핀 장미꽃에 파묻힌 테스는 5월의 여신처럼 아름다웠다. 알렉은 그런 테스에게서 눈을 뗄 수가 없었다.

잠시 뒤 마차 시간을 확인한 알렉은 마차 타는 곳까지 테스를 데려다 주었다.

"나의 친척 아가씨, 아니 테스! 집 안에서 기르던 말을 잃었다고 했소?"

"네, 제 실수로 한 마리뿐인 말을 잃었어요."

테스는 눈물을 글썽거렸다.

"어머니에게 당신 집안의 사정을 잘 말씀드리겠소. 아, 저기 마차가 오는군. 테스, 당신은 참으로 매력적인 아가씨요. 자, 그럼 다음에 또 봐요."

알렉은 의미심장한 미소를 지으며 손을 흔들었다.

장미꽃을 모자에 꽂은 테스를 보고 마차에 탄 손님들이 쑥덕거렸다.

"이런 장미꽃은 우리 마을에서 더버빌 가 정원에서만 피지 않나? 장미꽃보다 더 예쁜 아가씨를 알렉이 놓칠 리 없지!"

그들은 바람둥이로 유명한 알렉 더버빌이 순진한 아가씨를 꼬드기기 위해 장미꽃을 선물한 것을 알고 혀를 끌끌 찼다. 뒤늦게 사람들의 시선視線을 의식한 테스는 모자에 꽂은 장미꽃을 떼어 내려다가 그만 가시에 찔리고 말았다.

불길한 징조였다. 블랙무어 사람들에게는 장미꽃 가시에 찔리면 좋지 않은 일이 일어난다는 미신이 있었다. 가시에 찔린 손가락에서 새빨간 피가 흘러나왔다. 이를 본 테스의 얼굴빛이 창백하게 변했다.

시선(視線) : 주의나 관심을 비유적으로 이르는 말.

집에 돌아오니 어머니가 환한 미소로 맞아 주었다.

"내가 잘될 거라고 했지? 지금 막 더버빌 마님에게서 편지를 받았단다. 마님이 취미 삼아 하시는 작은 양계장을 네가 돌봐 주었으면 하시는구나. 이 말은 우리를 같은 집안으로 인정認定하신다는 의미 아니겠니?"

"하지만 전 마님을 뵙지도 못했는걸요."

"그럼 어떻게 우리 사정을 아셨지?"

"더버빌 가의 아들을 만났어요. 저보고 친척이라고 하더군요."

어머니는 호들갑을 떨며 남편에게 소리쳤다.

"여보, 더버빌 가에서 벌써부터 우리를 친척으로 생각한대요!"

불길한 생각이 든 테스는 조심스럽게 입을 열었다.

"저는 여기서 일자리를 구해 아버지 어머니랑 동생들하고 같이 살고 싶어요."

인정(認定) : 확실히 그렇다고 여김.

"테스, 왜 그러는 거야? 무슨 일이라도 있었어?"

"그냥 가기 싫다고요!"

며칠 뒤 일자리를 알아보러 나갔던 테스가 힘없이 돌아
왔다. 어머니는 덩실덩실 춤을 추면서 테스를 맞았다.

"그 사람이 찾아왔어. 아주 잘생겼더구나. 말롯 마을을
지나다가 네 생각이 나서 들렀대. 양계장을
돌봐 주러 올 수 있냐고 정중하게 묻더구
나. 하지만 양계장은 핑계일 뿐이고 네게
더 관심이 많은 것 같아."

입이 함지박만 하게 벌어진 어머니가 신이
나서 덧붙였다.

딸의 앞날에 드리워질
불행의 그림자는 짐작도
못하고 덩실덩실 춤을
추다니……

"그 사람 말이야, 손가락에 커다란 다이
아몬드 반지까지 끼고 있더구나. 너를 위해
마차도 보낸다고 했어. 이건 네게 찾아온
기회야. 더버빌 부인의 마음에만 든다면 넌 귀부인도 될
수 있어."

테스는 알렉의 태도도 싫고 장미꽃 가시에 찔린 일도

맞아, 테스!
운명은 내가 선택해
개척하는 거야.

마음에 걸렸다. 하지만 아버지 어머니와 동생들까지 기뻐하는 모습을 보니 차마 가기 싫다는 말을 할 수 없었다. 한편으로는 자신의 운명運命을 스스로 개척해 보자는 결심도 섰다.

집을 떠나기로 한 날 아침 테스는 아침 일찍 일어나 평소와 같은 옷을 입었다.

"테스, 부자 친척을 만나러 가는데 옷차림이 그게 뭐니?"

어머니는 분홍색 리본을 머리에 매 주었다. 그리고 자신이 젊었을 때 쓰던 예쁜 모자까지 씌워 주었다.

더버빌 가에서 보내 준다는 마차는 짐마차였다. 하지만 테스의 눈앞에 나타난 것은 화려한 이륜마차였다. 게다가 알렉이 직접 마차를 몰고 왔다. 그 모습을 멀리서 지켜보

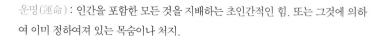

운명(運命) : 인간을 포함한 모든 것을 지배하는 초인간적인 힘. 또는 그것에 의하여 이미 정하여져 있는 목숨이나 처지.

던 테스의 어머니는 어린아이처럼 손뼉을 치며 기뻐했다.

알렉을 본 테스는 잠시 망설이다 마차에 올랐다. 알렉은 테스를 태우자마자 빠른 속도로 마차를 몰았다. 내리막길이 나타났으나 알렉은 속도를 줄이지 않았다.

"조심해요, 앞에는 내리막길이라고요!"

테스가 소리쳤다. 테스는 용감한 아가씨였으나 한 번 사고가 난 뒤에는 겁이 많아졌다.

"나는 내리막길에서는 항상 전속력으로 달리지."

알렉은 흰 이를 드러내며 소리 내어 웃었다.

테스는 두려움을 애써 감추고 고삐를 쥔 알렉의 팔을 꽉 붙잡았다.

"팔을 잡으면 우리 둘 다 날아갈 거요. 그러니까 내 허리에 매달리라고!"

테스는 어쩔 수 없이 알렉의 허리를 꼭 껴안았다. 전속력으로 달리던 마차는 어느새 산기슭에서 내려왔다.

"이제 그만해요. 계속 이런 식으로 몰면 마차에서 내리겠어요."

얼굴이 발갛게 달아오른 테스가 화를 냈다.

"테스, 당신의 장밋빛 입술에 키스하게 해 줘요. 아니, 발그레한 뺨에라도 좋소. 그렇게만 해 주면 마차를 멈추겠소."

"아무하고나 입맞춤을 하고 싶지 않아요!"

테스의 두 뺨에 눈물이 흘러내렸다.

알렉은 모른 척하며 테스의 뺨에 키스했다. 테스는 손수건을 꺼내 알렉의 입술이 닿은 뺨을 닦아 냈다. 알렉이 또다시 마차를 빠르게 몰자 테스는 일부러 모자를 떨어뜨렸다.

"마차를 세워요. 모자를 주워야겠어요."

알렉이 마차를 세우자 테스는 모자를 줍는 척하고 마차에서 내렸다.

"당신이 모는 마차는 더 이상 타지 않겠어요."

"아직 8킬로미터는 더 가야 하오. 그 먼 길을 걸어가겠다는 말이오?"

"아무리 멀어도 상관없어요. 정신 나간 사람이 모는 마

차는 두 번 다시 타지 않겠어요."

테스가 화를 내자 알렉은 호탕한 웃음을 터뜨렸다.

"자, 화해합시다. 이제 당신이 싫어하는 짓은 하지 않겠소."

더버빌 가에 도착한 테스는 다음 날 아침부터 양계장 일을 시작했다. 알고 보니 더버빌 부인은 앞을 보지 못했다. 더버필드 가에 편지를 보낸 사람은 더버빌 부인이 아니라 알렉이었던 것이다.

테스가 하는 일은 아주 단순했다. 더버빌 마님이 좋아하는 닭을 양계장에서 꺼내 데려다 주거나 새장의 새에게 휘파람을 가르치는 일이었다.

테스는 휘파람을 연습하기 위해 정원으로 나왔다. 입술을 오므린 채 열심히 불어 보았으나 바람 소리만 날 뿐이었다. 정원 구석의 담쟁이덩굴에 숨어 그 모습을 지켜보던 알렉이 다가왔다.

"아까부터 지켜보았소. 예쁜 입술로 휘휘 분다고 휘파람이 나오겠소? 내가 한 수 가르쳐 주지."

"아니, 아니에요. 그럴 필요 없어요."

마차 사건으로 화가 난 테스는 알렉과 말도 하기 싫었다. 그래서 얼른 집 안으로 들어가려고 했다.

"당신은 입술을 너무 오므렸어. 자, 이렇게 해 봐."

팔을 붙잡힌 테스는 하는 수 없이 알렉이 가르쳐 준 대로 입술을 오므리고 휘파람을 불어 보았다. 그러자 신기하게도 입에서 휘파람 소리가 나왔다.

휘파람은 박수처럼 인체를 이용한 악기야. 악기 발명의 실마리를 풀어 주었다고도 볼 수 있대.

"바로 그거야! 거 봐, 내 말대로 하니까 되지?"

그날부터 테스의 경계심도 조금씩 풀어졌다.

테스가 더버빌 가에 온 지도 어느덧 석 달이 지났다. 9월 어느 토요일, 그날은 축제일과 장날이 겹친 날이었다.

테스는 장날이면 트랜트리지 마을 사람들과 체이스버러로 나와 구경하다가 함께 돌아왔다. 하지만 그날은 양계장 일을 끝마치고 오느라 사람들보다 늦게 장터에 도착했다. 테스는 장터 이곳저곳을 기웃거리며 마을 사람들을 찾아다녔으나 아무도 보이지 않았다. 축제일을 맞아 일찍 볼일을 마친 마을 사람들은 숲 속의 풀밭에 모여 춤을 추고 있었다.

테스는 흥겹게 춤을 추는 사람들을 지켜보며 함께 집으로 돌아가곤 했던 마을 사람들을 기다렸다. 날이 저물었으나 사람들은 집으로 돌아갈 생각이 없는 듯했다.

테스는 마지막 곡이 끝나기를 기다렸다. 하지만 곡이 끝나자 새로운 곡이 연주됐다.

하는 수 없이 혼자 돌아가기로 마음먹은 테스는 어둠이 깔린 숲을 빠져나왔다. 술에 취해 비틀거리는 남자들을 피해 서둘러 걸음을 옮겼으나 테스는 점점 불안해졌다. 바로 그때 말을 탄 알렉이 테스 앞에 나타났다.

"내 뒤에 올라타요."

'어떡하지? 혼자 밤길을 걷기에는 너무 무서운데……'

잠시 고민하던 테스는 알렉의 말에 올라탔다.

두 사람은 아무 말도 하지 않고 말을 달렸다. 속도가 점점 빨라지자 테스는 천천히 달리라고 알렉에게 부탁했다.

"테스, 왜 나를 싫어하는 거지?"

테스는 대답하지 않았다. 알렉은 한동안 말을 천천히 몰았다.

말할 수 없이 피곤했던 테스의 눈꺼풀이 저절로 내려앉았다. 아침 5시에 일어난 테스는 하루 종일 서 있었다. 체이스버러까지 5킬로미터나 걸은데다 장터에서는 마을 사람들을 찾아다니느라 점심도 거른 상태였다.

테스가 말 위에서 꾸벅꾸벅 졸자 알렉은 말에서 내려 테스를 부축하기 위해 허리를 감싸 안았다. 화들짝 놀라 잠에서 깬 테스는 알렉이 이상한 행동을 하는 줄 알고 힘껏 밀쳤다.

테스가 알렉의 말에 타지 않았으면 어떻게 되었을까?

"나쁜 짓을 할 생각은 없었어. 당신이 졸기에 잠시 쉬게 해 주려던 것뿐이라고!"

알렉은 자신의 행동을 오해誤解하는 테스에게 섭섭해하며 화를 냈다.

"당신같이 건방진 여자는 처음이야. 지난 석 달 동안 내가 그렇게 잘해 줬는데도 당신은 나를 철저히 무시無視했어. 이제는 더 이상 못 참겠어."

"내일 떠나겠어요."

"그건 안 돼. 부탁인데, 제발 나를 믿어 줘."

다시 말 위에 오른 알렉은 천천히 말을 몰았다. 그런데 말이 가는 방향은 집으로 향하는 큰길이 아니라 오솔길이었다.

"여기가 어디에요?"

낯선 길에 들어선 것을 알아챈 테스가 소리쳤다.

"체이스 숲을 지나는 중이야. 산책하기 아름다운 밤이잖아."

오해(誤解) : 어떤 표현을 다른 뜻으로 잘못 이해함.
무시(無視) : 사물의 존재나 가치를 알아주지 아니함.

"내려 주세요. 집까지 걸어가겠어요."

"알았어, 알았다고! 그런데 여기가 어딘 줄은 아나? 체이스 숲은 낮에도 길을 잃기 쉽단 말야. 내가 정확한 위치를 알아보고 올 테니 여기서 기다려. 집으로 가는 길을 가르쳐 주면 당신 혼자 집에 가든 말든 마음대로 하라고!"

알렉은 테스가 편히 앉아서 기다릴 수 있도록 낙엽을 수북이 모아 자리를 마련해 주었다.

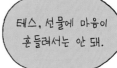

테스, 선물에 마음이 흔들려서는 안 돼.

"낙엽이 아직 축축하지는 않군. 여기 앉아서 기다려. 참, 오늘 당신 집에 말 한 필을 보냈어. 내 선물이야."

"말을 보내셨다고요? 부모님께서 말이 없어 이만저만 고생이 아니었을 텐데……. 정말 고마워요."

말은 그렇게 하면서도 심한 부담감을 느낀 테스는 마음이 편치 않았다.

어둠이 깔린 숲 속은 아직 9월인데도 무척 쌀쌀했다.

얇은 옷을 입은 테스는 오들오들 떨었다. 알렉은 겉옷을 벗어 테스의 어깨에 다정하게 걸쳐 주었다.

"잠깐 여기서 쉬고 있어. 위치를 알아보고 올 테니까."

사실 알렉은 길을 잘 알고 있었다. 그러나 시간을 끌기 위해 숲 속 이곳저곳을 돌아다녔다. 그러고 나서도 한참 뒤에야 테스가 있는 곳으로 돌아왔다.

"테스!"

아무런 대답이 없었다. 가만히 다가와 내려다보니 테스는 낙엽 위에서 새근새근 잠들어 있었다. 알렉은 잠자는 테스의 얼굴 가까이에 자신의 얼굴을 가져갔다. 그날 밤 알렉은 순결한 테스에게 몹쓸 짓을 하고 말았다.

10월 하순의 어느 일요일 새벽 테스는 더버빌 가를 떠나기 위해 무거운 보따리를 들고 길을 나섰다.

"왜 몰래 달아나는 거야?"

알렉이 서둘러 마차를 몰고 뒤따라왔다.

"집으로 돌아가겠어요."

"알았어. 내가 집까지 데려다 줄 테니까 어서 타."

테스는 알렉이 모는 마차에 순순히 올라탔다.

이윽고 테스가 살던 말롯 마을이 소박素朴한 모습을 드러냈다. 테스의 눈에서 뜨거운 눈물이 흘러내렸다.

"왜 우는 거지?"

"그곳에 가지 말아야 했어요."

"테스, 당신 스스로 왔잖아. 트랜트리지에 오기 싫은데도 억지로 왔다는 거야?"

"좋아서 간 건 아니었어요. 하지만 당신 속셈을 알아차렸을 때는 너무 늦었죠. 당신이 좋은 사람일지도 모른다고 생각한 내가 원망스러울 뿐이에요."

"남자와 헤어질 때 여자들은 늘 남자만 나쁘다고 투정을 부리지."

알렉의 말에 테스의 두 눈에서 불꽃이 일었다. 테스가 말없이 노려보자 알렉이 서둘러 상황을 수습했다.

소박(素朴) : 꾸밈이나 거짓이 없이 있는 그대로임.

"좋아, 내가 잘못했어. 아무튼 최대한 보상할 준비가 되어 있으니 너무 미워하지는 말라고."

"내가 당신에게서 뭔가를 바란다면 알렉이라는 그물에서 영원히 벗어나지 못할 거예요. 나는 아무것도 필요 없어요."

"테스, 당신 태도를 보니 위대한 가문의 아가씨답군. 그렇다면 나도 더 이상 할 말이 없어. 나는 나쁜 사람으로 태어나 나쁜 사람으로 살아왔어. 하지만 하늘을 걸고 맹세盟誓하는데, 당신한테는 진심이었어. 그러니 무슨 일이 생기거나 어려운 일이 닥치면 연락해 줘."

이윽고 마차는 말롯 마을로 들어서는 길목에 닿았다. 테스는 이제 그만 마차에서 내려 달라고 말했다.

"테스, 그동안 즐거웠소. 잘 가요."

알렉은 테스만 홀로 남겨 둔 채 마차를 몰고 돌아갔다.

트랜트리지에서 일찍 출발한 탓인지 한낮의 따사로운

맹세(盟誓) : 일정한 약속이나 목표를 꼭 실천하겠다고 다짐함.

햇살이 테스의 머리 위를 비추고 있었다. 하지만 그 햇살이 테스의 마음까지 따사롭게 해 주지는 못했다.

집 안에 들어서는 딸을 보고 어머니가 깜짝 놀라 소리쳤다.

"아니, 우리 테스가 왔구나! 혹시 결혼하러 온 거니?"

'알렉 같은 남자와 결혼이라니, 어머니도 참!'

딸의 마음을 헤아리지 못하는 어머니 앞에서 테스는 할 말을 잃었다.

사람들은 마을에서 제일 예쁜 테스가 바람둥이 알렉에게 당했다면서 수군거렸다. 테스는 사람들 눈을 피해 집 안에서만 지내고 있다가 몇 달 뒤 아기를 낳았다. 알렉을 사랑한 것은 아니었으나 테스는 어머니로서 부끄럽지 않게 살겠다고 쌔근쌔근 잠든 아기 얼굴을 바라보며 맹세했다. 그러나 병에 걸린 아기는 얼마 살지 못하고 그만 하늘 나라로 떠나 버렸다.

테스는 지난 일들을 곰곰 떠올려 보았다. 자신의 뜻과 상관없이 더버빌 가로 간 일, 알렉에게 순결을 빼앗긴 숲 속의 밤, 점점 불러오는 배를 움켜쥐고 괴로워하던 나날들 그리고 사랑스러운 아기를 잃었을 때의 슬픔들이 테스의 머릿속을 어지럽혔다.

순진한 시골 처녀 테스는 더 이상 존재하지 않았다. 이제 그녀는 많은 사연을 가슴속에 묻고 새로운 삶을 시작해야 했다.

'아직은 살아온 날보다 살아갈 날이 더 많잖아. 다시 시작하자. 하지만 과거를 잊고 새로운 삶을 시작할 수 있을까?'

새순이 돋은 나뭇가지에 물이 오르기 시작한 5월, 테스는 어머니의 친구에게서 한 통의 편지를 받았다. 남쪽으로 수 킬로미터 떨어진 목장에서 젖을 짤 여자를 구한다는 편지였다.

테스, 과거로 향하는 문은 닫아걸고 희망 가득한 미래를 향해 손을 내밀어 봐!

이제 갓 스무 살이 된 테스는 새로운 희망을 찾아 톨버데이스 목장으로 떠났다.

3장
새로운 만남

톨버데이스는 기업 수준의 대규모 목장이었다. 상쾌한 공기와 넘실대며 흐르는 맑은 강물, 너른 풀밭과 수많은 소 떼가 테스의 마음을 설레게 했다.

"아주 잘 왔소. 지금이 한창 바쁠 때거든."

목장 주인 크릭은 테스를 반갑게 맞아 주었다.

"제가 젖 짜는 일은 아주 잘해요."

대답은 그렇게 했으나 너무 많이 걸은 탓인지 테스의 얼굴빛이 좋지 않았다.

"정말 잘할 수 있겠소? 여기 일은 건장한 남자들도 버티기 힘들 정도라오."

"그렇다면 제가 한번 시범을 보일까요?"

크릭은 100마리가 넘는 소들 가운데 젖 짜기가 쉽지 않은 한 마리를 손가락으로 가리켰다. 테스는 모자를 벗고 수건을 머리에 두른 뒤 소 밑에 의자를 깔고 앉았다. 두 손으로 짜낸 우유가 통 속으로 쏟아져 들어가는 것을 보니 새로운 곳에 왔구나 하는 실감이 났다.

"낯선 사람 손에 맡겨서 그런지 오늘은 젖이 잘 나오지 않는 것 같군."

크릭은 나직한 목소리로 노래를 부르기 시작했다. 이 지방에서는 젖소에서 우유가 잘 나오지 않을 때는 노래를 부른다고 했다.

"노래를 불러야 우유가 잘 나온다니 그것 참 희한한 일이군요."

다른 젖소의 옆구리에 머리를 묻고 일하던 남자가 얼굴을 들면서 말했다.

테스는 고개를 돌려 그 남자를 바라보았다. 여느 일꾼과 마찬가지로 작업복 차림이었으나 그에게서는 남다른

교양敎養과 겸손이 묻어났다. 테스는 어디선가 본 적이 있는 것 같아 낯선 남자를 찬찬히 바라보았다.

'아, '5월의 무도회'에서 다른 아가씨와 춤추다가 서둘러 떠나 버린 그 여행객!'

테스는 얼른 시선을 피했다. 혹시라도 기억하고 싶지 않은 과거가 알려질까 봐 두려웠던 것이다. 하지만 에인절은 테스를 전혀 알아보지 못했다.

저녁 무렵이 되어 젖 짜는 일이 끝나자 테스는 여자 일꾼들과 함께 숙소로 왔다. 몸은 피곤한데 잠이 통 오지 않았다. 쉽게 잠들지 못하는 테스를 보고 옆 침대의 처녀가 목장에 대해 이런저런 이야기를 들려주었다.

"에인절 클레어 씨는 견습 농부로 젖 짜는 일을 배우고 있어. 하지만 우리 같은 일꾼하고는 어울리지 않아. 그분은 에민스터에 사는 클레어 목사님 아들이거든. 다른 두

교양(敎養) : 학문, 지식, 사회생활을 바탕으로 이루어지는 품위. 또는 문화에 대한 폭넓은 지식.

아들은 목사님이 되었는데 그분은 농부가 되기로 결심했대. 하프도 얼마나 아름답게 연주하는지 몰라."

"아, 클레어 목사님! 그분에 대해 들어 본 적이 있어요. 아주 훌륭한 분이라고 하더군요."

고개를 끄덕이며 듣던 테스는 어느새 깊은 잠 속으로 빠져 들었다.

드디어 테스와 알렉의 사랑이 시작되려나 봐.

어려서부터 한적한 시골 분위기를 좋아하던 에인절은 세속적인 성공 따위에는 관심이 없었다. 읽고 싶은 책을 마음대로 읽으며 자유롭게 살기 위해서는 농부가 최고의 직업이라고 생각했기에 톨버데이스 목장에서 일을 배우는 중이었다.

어느 날 에인절은 식당에서 밥을 먹다가 아름다운 여인의 목소리를 듣게 되었다.

"살아 있을 때도 우리의 영혼은 몸 밖으로 나갈 수 있어. 한밤중에 풀밭에 누워 밝은 별 하나를 똑바로 쳐다보면 영혼이 빠져나가는 걸 확실히 느낄 수 있거든."

말을 하던 테스는 에인절과 눈이 마주치자 얼굴을 붉히며 고개를 숙였다.

'아, 저 아가씨는 순결한 자연의 딸 같군.'

그날 이후 에인절은 왠지 낯설지 않은 테스에게 관심을 갖게 되었다.

목장에서는 한 사람이 하루에 여덟 마리에서 열 마리의 젖소에서 젖을 짜냈다. 그중에는 젖이 잘 나오는 젖소도 있고 그렇지 않은 젖소도 있었다. 젖을 짜는 사람의 손놀림에 따라 우유의 양도 달랐다. 그렇다고 언제나 젖이 잘 나오는 젖소만 맡을 수도 없는 노릇이었다.

그런데 언제부터인가 테스는 자기 손에 들어온 젖소들이 대부분 젖이 잘 나온다는 것을 알아챘다.

"에인절, 젖소를 담당하는 사람을 당신이 정했군요."

테스의 말에 에인절은 쑥스러운 미소를 지었다. 테스는 에인절에게 먼저 말을 건 자신이 부끄러워 더 이상 말을 이을 수가 없었다.

6월의 여름날 저녁, 하프의 가녀린 선율이 테스의 귓가를 울렸다. 테스는 살그머니 숙소에서 나와 하프 소리가 나는 쪽으로 걸음을 옮겼다.

가슴이 울컥하면서 지난 일들이 떠올랐다. 테스는 주르륵 흐르는 눈물을 닦으며 울타리 뒤에 몸을 숨겼다. 그리고 다음 곡을 기다렸으나 에인절은 천천히 몸을 일으켰다. 테스는 에인절에게 들키지 않도록 살금살금 뒷걸음질했다. 그러나 테스의 얇은 여름옷을 발견한 에인절이 먼저 말을 걸어왔다.

"테스, 왜 그렇게 도망가는 거요? 내가 무섭소?"

"아, 아니에요. 전혀 무섭지 않아요."

"그런데 아주 슬픈 표정을 하고 있군."

"그냥…… 산다는 게 슬프네요."

"나도 가끔 그럴 때가 있소. 하지만 당신처럼 예쁜 아가씨가 그런 생각을 하다니 의외로군. 왜 그런 생각을 하게 되었소?"

에인절은 아름답고 젊은 테스가 느끼는 슬픔의 정체가

궁금했다. 반면에 테스는 훌륭한 교육을 받고 물질적으로
도 풍요로운 에인절이 무엇 때문에 슬픔을 느끼는지 의아
했다.

함께 이야기를 나누면서 두 사람은 서로에게 강한 호기
심을 느꼈다. 테스는 에인절과 가까워지는 것이 조
금 두렵기도 했다. 그러나 시간이 흐를수
록 두 사람은 자석처럼 서로를 끌어당기
며 친해졌다.

'내가 이렇게 행복해도 될까? 내 과거
가 알려져도 지금처럼 행복이 내 곁에 머
물까?'

행복하다고 느낄수록 두려움은 점점 커
져만 갔다.

세월은 너무도 빨라 1년이 훌쩍 지났다. 목장에서는 아
침 일찍 일어나 우유 위에 떠 있는 크림을 걷어 내는 일이
가장 중요했다. 일꾼 중에서 가장 먼저 일어난 사람이 나

머지 사람들을 깨워 일을 시작했다. 테스는 항상 먼저 일어나 사람들 깨우는 일을 맡았다.

에인절도 테스 못지않게 일찍 일어나는 편이었다. 그러다 보니 두 사람의 만남은 주로 새벽에 이루어졌다. 그들은 새벽 공기를 마시며 산책을 했다.

어느 날 아침, 우유 작업장에서 큰 소동(騷動)이 벌어졌다. 우유를 버터로 만드는 기계가 돌아가는데도 버터가 나오지 않았기 때문이다. 커다란 통 속에서 우유가 철벅거리며 압축되는 소리만 들릴 뿐 버터는 나오지 않았다. 일하는 사람들은 안절부절못하며 기계만 바라보았다. 그때 크릭 부인이 머뭇거리며 이야기를 꺼냈다.

"아무래도 집안에 순결하지 않은 처녀가 있나 봐요. 어릴 때 그런 이야기를 들은 적이 있거든요. 아니지, 몇 년 전에도 있었던 일이야. 여보, 그 처녀 기억 나요? 그때도 버터가 제대로 나오지 않았잖아요."

소동(騷動) : 사람들이 놀라거나 흥분하여 시끄럽게 법석거리고 떠들어 대는 일.

"말도 안 돼요. 이건 단순히 기계 고장일 뿐이에요."

에인절이 반박하자 크릭이 손사래를 치며 나섰다.

"에인절, 자네가 모르는 일이 있어. 예전에 잭 돌롭이라는 아주 나쁜 남자가 여기서 일한 적이 있거든. 그런데 건너 마을 멜스톡에 사는 처녀와 사귀다가 차 버린 거야. 그날이 부활 주일 목요일이었는데 그때도 지금처럼 사람들이 모여 있었지. 그 처녀 엄마가 나타나 잭 돌롭을 찾아내라고 소란을 피웠어. 그때 잭은 버터 만드는 기계 속에 몰래 숨어 있었지."

크릭은 잠시 말을 멈추고 주위를 둘러보았다. 모두들 목장 주인의 말에 숨을 죽인 채 귀를 기울였다.

"처녀 엄마는 녀석이 숨어 있는 곳을 알아냈어. 그래서 손잡이를 잡고 기계를 돌리기 시작했지. 잭은 기계 안에서 떼굴떼굴 구르며 처녀 엄마에게 빌었어. 그 처녀와 결혼하겠다고 말이야. 그렇게 해서 그날 소동이 끝났지. 그때도 버터가 나오지 않아 얼마나 말썽이었는지 몰라."

다들 재미있다는 표정으로 이야기를 들었지만 테스는

하얗게 질린 얼굴로 슬그머니 밖으로 나왔다. 그때 기계에서 '딱' 소리가 들리더니 버터가 나오기 시작했다.

테스는 그날 하루 종일 우울憂鬱하고 슬펐다. 크릭의 이야기가 테스의 아픈 상처를 건드렸기 때문이다. 숙소로 돌아와 뒤척이다 잠이 든 테스는 같은 방을 쓰는 이즈, 레티, 메리언의 목소리를 듣고 살며시 눈을 떴다. 세 처녀는 잠옷 차림으로 창밖을 내다보고 있었다.

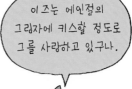

"밀지 마! 너도 잘 보이잖아."

레티가 창문에서 눈을 떼지 않고 말했다.

"레티, 혼자 좋아해 봤자 소용없어. 그분은 다른 사람을 사랑하거든."

"아무리 봐도 너무 멋져!"

탐스러운 금발에 빼빼마른 이즈가 소리쳤다.

"난 이즈가 저분의 그림자에 키스하는 걸 봤지!"

우울(憂鬱) : 근심 걱정으로 마음이나 분위기가 답답하고 밝지 못함.

"뭐라고?"

메리언이 눈을 동그랗게 뜨자 이즈의 뺨이 빨갛게 달아올랐다.

"뭐 어때? 누구한테 해를 끼치는 일도 아니잖아."

"하긴 우리 모두 저분을 사랑하는걸!"

세 처녀는 창문에 코를 박은 채 큰 소리로 웃었다.

세 처녀의 관심을 한몸에 받고 있는 에인절은 테스에게만 사랑의 눈길을 보내.

"다 소용없어. 저분은 테스를 제일 좋아해. 매일 저분을 지켜보다가 알아낸 비밀이야."

메리언은 힘없이 고개를 떨어뜨렸다.

"하지만 테스는 저분한테 관심이 없잖아."

레티가 나직이 속삭였다.

"저분은 우리는 물론 테스하고도 결혼하지 않을 거야. 대지주가 되어 목장을 경영할 분이거든. 우리를 목장 일꾼으로 부릴 수는 있겠지."

이즈의 말에 두 처녀는 깊은 한숨을 내쉬었다. 테스의

입에서도 한숨이 새어 나왔다.

세 처녀는 침대에 누워 곧바로 잠들었으나 테스는 잠이 오지 않았다. 세 처녀의 이야기는 테스를 더욱더 우울하게 만들었다. 테스는 알렉과의 일을 떠올리며 어떤 남자의 유혹誘惑에도 넘어가지 않겠다고 다시 한 번 다짐했다. 그러면서도 한편으로는 에인절이 정말 자기를 좋아하는지 궁금하기도 했다.

7월의 어느 일요일 아침 테스와 세 처녀는 목장에서 6킬로미터 떨어진 멜스톡의 교회에 가기 위해 길을 나섰다. 테스가 톨버데이스 목장에 온 뒤 첫 번째 나들이였다. 그런데 유쾌하게 재잘거리며 걷던 처녀들 앞에 커다란 웅덩이가 나타났다. 지난밤에 쏟아진 폭우로 생긴 웅덩이였다.

"어쩌면 좋지? 평소 같으면 그냥 건너가겠지만 오늘은 드레스를 입었잖아."

"아, 종소리가 들리네. 이러다가 설교 시간에 늦겠어."

유혹(誘惑) : 꾀어서 정신을 혼미하게 하거나 좋지 아니한 길로 이끎.

"늦게 들어가면 사람들이 쳐다볼 텐데, 부끄러워서 어떡하지?"

처녀들은 발을 동동 구르며 안타까워했다. 바로 그때 길모퉁이에서 작업복 차림의 에인절이 나타났다.

"저분은 목사님 아들인데도 교회에 가지 않나 봐."

메리언은 황홀한 표정으로 에인절을 바라보며 이즈에게 속삭였다.

에인절은 교회에 가기 위해 가장 예쁜 드레스로 골라 입은 테스를 눈부신 듯 바라보았다.

"교회에 가는 길인가요?"

에인절이 묻자 메리언이 기다렸다는 듯이 얼른 나섰다.

"네, 클레어 씨. 시간이 늦었는데 웅덩이 때문에……."

"내가 네 분 모두 건네줄게요. 자, 한 분씩 와서 두 팔을 내 어깨 위에 얹어요."

가장 먼저 메리언이 다가오자 에인절은 그녀를 안고 웅덩이를 성큼성큼 건넜다. 다음은 이즈, 그 다음은 레티였다. 마지막으로 테스의 차례가 되었다.

"힘드실 테니 저는 둑을 따라 돌아갈게요."

테스가 돌아서자 에인절은 서둘러 그녀의 팔을 낚아채
더니 두 손으로 테스를 안아 올렸다.

"당신을 건네주기 위해 세 처녀를 건네준 거요."

에인절의 말에 테스가 얼굴을 붉혔다.

"혹시 무겁지 않으세요?"

테스가 수줍어하며 물었다.

테스! 에인절의 속도
모르고 둑을 따라
돌아가겠다고?

"아니오! 하나도 무겁지 않소. 테스, 당신은 들
에 피어 있는 오월의 장미꽃보다 아름답군요."

"제가 오월의 장미꽃처럼 보인다면 참 예
쁘겠네요."

에인절은 얼굴을 붉힌 테스의 뺨에 입맞춤을 했다.

테스는 너무 부끄러워 에인절의 얼굴을 제대로 쳐다보
지 못했다. 에인절은 아주 느린 걸음으로 테스를 건네준
뒤 작별 인사를 하고 목장으로 사라졌다.

"안 돼. 우린 도저히 가망이 없어!"

메리언이 쓸쓸한 표정으로 테스를 바라보았다.

"메리언, 그게 무슨 말이야?"

"테스, 저분은 널 제일 좋아하셔. 너도 그걸 알지?"

테스는 다른 친구들도 에인절을 좋아한다는 사실에 가슴이 아팠고, 알렉과의 과거가 떠올라 더욱 가슴이 아팠다.

교회에 다녀온 뒤 세 처녀와 테스의 관계는 조금 서먹해졌다. 하지만 세 처녀 모두 테스를 좋아했으므로 질투심 따위는 고이 접기로 했다.

"깨어 있니, 테스?"

이즈가 침대에 누운 테스를 향해 소곤거렸다.

"응, 나한테 할 말 있어?"

"너, 그분에게 약혼자가 있다는 거 아니?"

"뭐라고? 그분에게 약혼자가 있어?"

"집안에서 어울리는 아가씨를 골라 놓았대. 에민스터 근처에 사는 신학 박사의 딸이라는데 그분은 그 아가씨를 좋아하지 않나 봐. 하지만 둘이서 결혼하는 건 확실해."

그날 밤 테스는 에인절을 향한 관심을 싹둑 잘라 버리기로 결심했다.

4장
다시 찾아온 사랑

7월의 뜨거운 날씨가 계속되었다. 일꾼들은 젖소를 풀밭에 풀어놓고 젖을 짰다. 테스는 젖을 짜지 않은 다섯 마리의 젖소가 무리에서 떨어져 울타리 모퉁이에 서 있는 것을 발견하고 그쪽으로 가서 젖을 짰다.

잠시 뒤 인기척이 났다. 에인절이 지켜보고 있다는 걸 알았지만 테스는 모른 척했다. 그러자 에인절은 테스 뒤로 다가와 두 팔로 그녀를 안았다. 갑작스러운 행동에 테스가 소스라치게 놀라자 에인절이 다정한 목소리로 말했다.

"테스, 당신 뺨에 함부로 입맞춤한 것을 용서해 줘요. 당신이 너무 아름다워서 그랬소. 테스, 당신을 사랑하오."

"소들이 화났어요. 우유 통을 찰 것 같아요!"

젖소를 핑계로 살그머니 빠져나오려 했으나 에인절의 두 팔은 여전히 테스를 안고 있었다. 과거 알렉과의 일이 떠오른 테스의 두 눈에 눈물이 핑 돌았다.

"왜 우는 거요, 테스?"

"아, 저도 잘 모르겠어요."

에인절은 테스를 그윽한 눈길로 바라보다가 다시 입을 열었다.

"테스, 나는 지금 꼭꼭 감춰 둔 사랑을 고백한 거요. 혹시 내가 너무 성급하게 행동해서 화가 난 거요?"

"아, 아니에요."

두 사람은 어색한 분위기에서 서둘러 일을 마쳤다.

갑작스럽게 사랑을 고백한 에인절은 테스와 하루빨리 결혼을 하고 싶었다. 그러기 위해서는 먼저 부모와 상의를 해야 했다.

다음 날 아침 에인절은 톨버데이스 목장의 식탁에 나타나지 않았다.

"클레어 씨는 주말을 가족과 함께 보내기 위해 오늘 새벽 에민스터의 집으로 떠났어. 그런데 클레어 씨가 목장에 있을 날도 얼마 남지 않았군."

크릭이 에인절의 상황을 설명해 주었다.

"언제 떠나시는데요?"

에인절이 떠난다는 말에 놀란 이즈가 떨리는 목소리로 물었다.

"소가 새끼를 낳은 뒤니까 넉 달 정도 남았어."

테스와 처녀들은 에인절과 헤어질 일을 생각하며 괴로워했다.

이른 새벽 톨버데이스 목장을 나선 에인절은 에민스터의 집으로 말을 달렸다.

에민스터에 다다르자 한 여인이 교회 쪽으로 걸어가고 있었다. 클레어 목사와 가장 친한 친구의 외동딸 머시 찬트였다. 머시와 에인절은 집안끼리 결혼 말이 오가는 사이였다. 하지만 에인절은 머시에게 아무 말도 건네지 않고 고개만 살짝 숙인 뒤 집으로 향했다. 테스와 결혼하고 싶다는 말을 가족에게 어떻게 전해야 할지 고민스러워 머시에게 신경 쓸 겨를이 없었다.

에인절이 집에 도착하니 아침 식사를 하던 가족이 반갑게 맞아 주었다. 부모님은 물론 가까운 마을의 목사로 있으면서 2주일 동안 휴가를 받아 집에 온 큰형, 케임브리지 대학의 특별 연구원으로 있는 작은형도 함께 있었다. 온 가족이 둘러앉아 신앙과 도덕道德에 관한 주제로 이야기를 나누었으나 목장 일을 하는 에인절로서는 그런 대화가 왠지 어색하기만 했다.

케임브리지 대학은 옥스퍼드 대학과 함께 영국에서 가장 오랜 전통을 자랑하는 대학이야.

에인절은 하루 종일 망설이다가 저녁을 먹고 가족 예배가 끝난 뒤에야 아버지에게 말을 꺼냈다.

"아버지, 톨버데이스에서 일을 배우고 나면

도덕(道德) : 사람으로서 마땅히 지켜야 할 도리 및 그것을 자각하여 실천하는 행위의 모든 것.

직접 목장을 경영해 보고 싶어요."

"그래, 좋은 생각이다. 내가 조금씩 모아 둔 돈이 있으니 도와주마."

"고맙습니다. 그런데 목장 일을 시작하면 많은 일을 함께 할 사람이 필요해요. 그래서 결혼을 해야 할 것 같아요. 아버지는 어떤 여자가 저와 어울린다고 생각하세요?"

아버지는 에인절의 결혼 상대로 마음에 두고 있는 아가씨가 따로 있어.

"네게 도움을 주고 위안(慰安)이 되어 줄 진정한 기독교인이어야겠지. 물론 가까운 곳에서 찾아도 좋을 거야. 신앙심 깊은 내 친구이자 이웃인 찬트 박사의 딸이……."

"하지만 소젖을 짜고 좋은 버터나 치즈도 만들 줄 아는 여자라야 되지 않겠어요?"

"목장을 경영하는 남자의 아내라면 그래야겠구나."

말은 그렇게 했으나 클레어 목사는 조금 서운한 마음이

위안(慰安) : 위로하여 마음을 편하게 함. 또는 그렇게 하여 주는 대상.

들었다.

"정숙(貞淑)하고 신앙심 깊은 사람을 찾는다면 찬트 박사의 딸 머시 양 같은 여자를 찾기도 힘들 거다. 네 어머니나 내 마음에도 쏙 들거든."

"아버지, 머시 양이 착하고 신앙심이 깊다는 것은 저도 잘 알아요. 하지만 제게는 목장 일을 잘 아는 여자가 훨씬 잘 어울릴 거라고 생각하지 않으세요?"

클레어 목사는 아들이 마음속에 정해 둔 아가씨가 있다는 것을 눈치 챘다.

"그래, 네가 결혼하고 싶은 아가씨는 어떤 사람이냐?"

그제야 에인절은 테스에 관해 이야기했다.

"네가 결혼해도 괜찮을 만한 집안이냐?"

대화 중에 조용히 들어와 있던 클레어 부인이 아들에게 물었다.

"좋은 집안의 아가씨는 아니에요. 그렇지만 성격이나

정숙(貞淑) : 여자로서 행실이 곧고 마음씨가 맑고 고움.

마음 씀씀이는 여느 집안 아가씨보다 훌륭해요. 신앙심도 깊어서 일요일마다 빠지지 않고 교회에 가서 예배를 드리지요."

테스의 신앙심이 깊다는 말은 거짓이었다. 그러나 에인절은 테스를 아내로 맞으려면 이 정도 거짓말쯤은 해도 상관없다고 생각했다.

다음 날 아침 클레어 목사는 아들에게 이웃에 사는 젊은이 이야기를 들려주었다.

"요즘 나는 나쁜 행동을 일삼는 젊은이를 교화敎化해 보려고 애쓰는 중이란다. 여기서 약 200여 킬로미터 떨어진 트랜트리지 마을에 더버빌 가문이 있지."

"아, 킹스비어 근교에 자리 잡은 유서 깊은 더버빌 가문을 말씀하시는 거예요?"

"원래 더버빌 집안은 오래 전에 몰락했단다. 이 집안은 갑자기 부자가 되어 더버빌 가문을 돈으로 산 것 같아. 진

교화(敎化) : 가르치고 이끌어서 좋은 방향으로 나아가게 함.

짜 더버빌 가문의 명예를 위해서라도 나는 그렇게 믿고
싶구나."

클레어 목사는 고뇌에 찬 얼굴로 가짜 더버빌 가문의
젊은이에 대해 입을 열었다.

"아버지는 돌아가시고 그 젊은이가 눈먼 어머니를 모
시고 사는데, 행실이 아주 좋지 않아. 이 여
자 저 여자를 건드리며 바람둥이처럼 살
지 뭐냐. 그래서 내가 찾아가 설교를 많
이 했단다. 처음에는 그 젊은이가 욕도 하
고 주먹질도 하면서 거부하더니 지금은 조
금씩 나아지고 있어."

"아버지, 그렇게 무례한 녀석을 왜 상
대하세요?"

"그래도 희망은 가져야지. 나는 그 젊은이
를 위해 계속 기도할 거다. 내 말 한마디가 씨앗이 되어
그의 마음속에 좋은 싹을 틔울 수도 있지 않겠니? 신앙의
힘은 위대하니까."

에인절의 아버지가
얘기하는 젊은이는
바로 알렉이야.

에인절은 아버지처럼 살고 싶지는 않으나 아버지의 삶은 충분히 이해했다. 대화를 마친 에인절은 테스를 빨리 만나기 위해 톨버데이스 목장으로 향했다.

목장에 도착하니 마침 낮잠을 자는 시간이라 풀밭에는 아무도 보이지 않았다. 에인절은 말안장을 풀고 먹이를 준 뒤 집 안으로 들어갔다. 괘종시계가 오후 3시를 알렸다. 우유 위에 떠 있는 크림을 걷는 시간이었다.

시계 소리와 함께 에인절은 위층 마룻바닥이 삐걱거리는 소리를 들었다. 잠시 뒤 테스가 하품을 하면서 층계를 내려왔다. 에인절을 발견한 테스는 반가움과 함께 부스스한 모습을 보인 것이 부끄러워 말끝을 흐렸다.

"에인절, 깜짝 놀랐잖아요. 저는……."

"사랑하는 테스! 당신 때문에 서둘러 돌아왔소."

에인절은 반가운 마음에 테스를 와락 끌어안았다. 창문 틈으로 비스듬히 스며든 햇살이 꼭 껴안은 두 사람을 비추었다.

"에인절, 놔 주세요. 일하러 가야 해요."

"그래요, 같이 갑시다."

테스는 크림을 걷기 위해 국자를 손에 들었으나 제정신이 아니었다. 에인절과 함께 있으니 구름 위를 걷는 듯 행복했으나 한편으로 온몸이 덜덜 떨릴 만큼 두렵기도 했다.

에인절이 다시 테스를 끌어안으며 입을 열었다.

"테스, 나는 곧 결혼할 거요. 당신이 나의 아내가 되어주면 좋겠소."

"에인절, 저는 당신의 아내가 될 수 없어요. 그럴 수가 없다고요!"

오래전부터 해 온 생각이었지만 막상 입 밖으로 내뱉고 나니 테스의 가슴은 찢어지듯 아팠다.

사랑하는 사람이 청혼을 하는데 거절을 할 수밖에 없는 테스가 너무 가여운걸.

"못한다고? 그게 무슨 말이오?"

"당신을 사랑해요. 하지만 결혼할 수는 없어요."

"혹시 다른 남자와 약혼이라도 한 거요?"

"아니, 아니에요!"

"그러면 왜 사랑하는 사람과 결혼할 수 없다는 거요?"

"전 결혼하고 싶지 않아요. 생각해 본 적도 없어요. 그냥 사랑만 하고만 싶어요."

"테스, 왜 그런 말을 하는 거요?"

에인절의 물음에 미처 대답을 찾지 못한 테스는 말을 더듬었다.

"저, 저어…… 당신 아버지는 목사님이시잖아요. 당신 어머니는 저 같은 여자와 결혼하는 걸 좋아하지 않으실 거예요. 좋은 가문의 여자와 결혼하기를 바라실 테죠."

"두 분께는 이미 허락許諾을 받고 왔소. 아무래도 내가 너무 갑작스럽게 말을 꺼낸 것 같군. 좀 더 생각할 시간을 주겠소."

"네, 고마워요. 부모님들께서는 안녕하신가요?"

테스는 화제를 다른 데로 돌리기 위해 에인절 부모의 안부를 물었다.

허락(許諾) : 청하고 바라는 바를 들어줌.

"아버지 때문에 걱정이오. 여기서 조금 떨어진 트랜트리지 마을에 교화를 시키고 싶으신 젊은이가 있나 봐요. 버릇없고 건방진 젊은이라는데 아주 못된 행동만 일삼는대요. 그 근방 어느 지주의 아들이라는데, 모친은 앞을 보지 못한다더군. 그렇게 돼먹지 못한 젊은이는 고생을 실컷 해야 하는데, 아버지는 건강을 해치면서까지 기도해 주신다는 거요."

테스의 표정이 딱딱하게 굳었다. 알렉 이야기가 나오자 슬픈 과거가 떠오른 것이다.

그날 이후 테스의 마음속에는 어두운 과거의 그림자와 싸우는 양심良心과 에인절에 대한 사랑이 격렬하게 싸웠다.

'왜 그분한테 내 소문을 퍼뜨리는 사람이 없을까? 우리 집과 그다지 멀리 떨어진 곳도 아닌데, 왜 여기까지 내 소문이 퍼지지 않았을까? 나에 대해 아는 사람이 분명히

양심(良心) : 자기의 행위에 대해 옳고 그름을 판단하고 바른 말과 행동을 하려는 마음.

있을 텐데 말이야.'

어느덧 9월로 접어들었다. 테스는 결혼을 재촉하는 에인절에게 일요일까지 답변을 주기로 약속했다. 그러는 동안 마음은 에인절과 결혼하는 쪽으로 기울고 있었다.

일요일 아침 식탁에서 크릭이 흥미진진한 이야기를 꺼냈다.

"자, 오늘 아침 내가 무슨 소문을 들었는지 맞춰 보지."

테스는 자신의 소문인 줄 알고 가슴이 덜컥 내려앉았다. 하지만 크릭은 다른 이야기를 꺼냈다.

"몹쓸 인간 잭 돌롭 이야기야. 그 녀석이 최근에 어느 과부하고 결혼을 했다는군."

"멜스톡에 사는 처녀와는 헤어졌나 보죠?"

"잘 헤어진 거지 뭐. 아무튼 과부는 1년에 50파운드 가량의 수입이 있었는데, 녀석이 그걸 노리고 결혼식을 올렸다더군. 그런데 결혼을 하면 더 이상 50파운드를 받을 수 없나 봐. 과부가 결혼하고 나서야 그 이야기를 한 모양

인데, 그때 녀석의 모습을 상상해 봐! 그 뒤로 두 사람은 매일 치고받고 싸운다는군."

"어리석은 여자군요. 그런 얘기는 결혼하기 전에 미리 했어야지."

크릭 부인의 말에 크릭이 나섰다.

"남자가 도망갈지도 모르니까 그랬겠지. 자, 아가씨들은 어떻게 생각하지?"

크릭은 젊은 처녀들 쪽으로 눈길을 돌렸다.

레티의 말이 백번 옳아. 그런 상대와는 결혼을 하지 않는 게 잘하는 일이야.

"남자가 발을 못 빼도록 하려면 결혼식 날 교회에 들어가기 직전에 해야지요."

메리언의 말에 이즈도 맞장구를 쳤다.

"맞아, 그랬어야지."

"그 여자도 잭 돌롭이라는 남자가 50파운드 때문에 결혼한다는 걸 알았을 거야. 그렇다면 결혼하지 말았어야지."

레티가 흥분해서 소리쳤다.

"테스는 어떻게 생각해?"

크릭의 물음에 테스가 조심스럽게 입을 열었다.

"제 생각에는 여자가 솔직히 얘기했어야 할 것 같아요. 그럴 수 없을 바에는 남자의 청혼을 거절해야겠죠. 아, 저도 잘 모르겠어요."

그러자 마을에서 놀러온 부인이 나섰다.

"나 같으면 고백하지도 않고 거절하지도 않고 그냥 잠자코 결혼했을 거야. 그리고 나서 남자가 50파운드는 어떻게 된 거냐고 물으면 그때 고백하는 거야. 남자가 왜 진작 말하지 않았느냐고 따지면 '내 맘이다.' 하면서 녀석을 반죽 미는 밀대로 때려눕히는 거지."

부인의 넉살에 다들 웃음을 터뜨렸으나 테스는 마지못해 웃는 시늉만 했다. 크릭이 들려준 말은 에인절의 청혼을 받아들이려고 마음먹은 테스에게 찬물을 끼얹은 것과 같았다.

테스는 그곳에 앉아 있기가 괴로워 밖으로 나왔다.

"얼마 후면 내 아내가 될 테스, 어디 가는 거요?"

뒤따라 나온 에인절이 장난스럽게 말하며 테스 옆에 나
란히 섰다.

"에인절, 당신과 결혼할 수 없어요. 제 말은…… 당신
을 위해서 안 된다는 거예요."

그 태도가 단호(斷乎)해서 에인절은 아무 대꾸도 할 수 없
어 입을 다물었다.

가을이 되자 새끼를 배는 젖소들이 많아져 우유의 양도
줄었다. 임시로 일하던 일꾼들을 돌려보낸 크릭이 작업장
에 나와 일하는 날이 많았다. 우유를 양철통에 쏟아 붓던
크릭이 먹구름이 몰려오는 하늘을 올려다보며 말했다.

"아, 생각보다 많이 늦었군. 이러다가는 우유를 제 시
간에 운반하지 못할 것 같아. 여기서 우유를 싣고 곧바로
기차역까지 가야겠는걸. 누구 갈 사람 없나?"

에인절이 가겠다고 선뜻 나섰다. 에인절이 같이 가자고

단호(斷乎) : 결심한 것을 실행하는 태도가 딱 끊은 듯이 매우 엄격함.

권하는 바람에 테스도 마차에 올랐다. 두 사람이 출발하자마자 흐릿한 하늘에서 빗방울이 쏟아졌다.

"아무래도 저는 가지 말 걸 그랬나 봐요."

테스가 짙은 먹구름이 드리운 하늘을 올려다보며 말했다.

"비가 쏟아질 것 같긴 하지만 당신이 옆에 있어 얼마나 좋은지 모르오. 그런데 아무것도 걸치지 않아 감기라도 들까 봐 걱정이군. 나한테 몸을 기대면 비를 덜 맞을 거요."

테스, 이제 과거는 잊고 에인절의 청혼을 받아들여.

테스가 가까이 다가앉자 에인절은 우유 통을 덮는 큼지막한 삼베 천을 꺼내 함께 덮어 썼다. 에인절은 마차를 몰아야 했으므로 테스가 천이 흘러내리지 않도록 꽉 잡았다.

"테스, 내 청혼에 대한 대답은 언제 해 줄 거요?"

"이따 기차역에서 돌아올 때 말할게요."

두 사람은 희미한 불빛이 새어 나오는 기차역에 도착했다. 비에 젖은 레일 위로 칙칙 소리를 내며 기차가 멈추어

섰다. 우유 통을 차곡차곡 실은 기차가 떠나자 두 사람은
빈 마차를 끌고 목장으로 향했다.

"제 과거를 말씀드릴게요. 저에 대해 아시고 나면 저와
결혼하시고 싶지 않을 거예요."

테스가 어렵게 입을 뗐다.

"그럴 리야 없지만, 아무튼 들어나 봅시다."

"저는 말롯 마을에서 태어나 거기서 자랐어요. 어렸을
적 꽤 똑똑했던 편이라 사람들은 제가 좋은 선생님이 될
거라고 했지요. 하지만 집안 형편이 어려워 학교를 그만
두었어요. 아버지가 부지런하지 않으신 데다 술을 너무
많이 드셨거든요."

"참 딱한 처지였군. 하지만 그게 나와 결혼하지 못하는
이유는 될 수 없소."

"그런데…… 그러고 나서…… 저한테요. 제가……"

테스는 한참을 더듬거리다가 어렵게 말을 이어 갔다.

"저의 진짜 성은 더비필드가 아니라 더버빌이에요. 당
신 아버님이신 클레어 목사님이 찾아가 설교하셨다는 그

더버빌 집안 말이에요. 물론 지금은 완전히 몰락했지만."

"더버빌 집안이라고? 혹시 나와 결혼하지 못한다는 이유가 그것 때문이오?"

"네, 크릭 씨가 얘기해 줬어요. 당신은 훌륭한 가문의 여자를 싫어한다고요."

테스의 말에 에인절이 웃음을 터뜨렸다.

"물론 나는 귀족 혈통을 내세우는 걸 싫어하오. 하지만 당신을 사랑하는 지금은 그 고귀한 혈통도 자랑스럽소. 특히 우리 부모님은 매우 좋아하실 거요."

테스는 더 이상 청혼을 거절할 이유가 생각나지 않았다.

"저를 아내로 맞아서 당신이 행복하다면, 또 진심으로 저와 결혼하기를 원하신다면……."

"물론이오, 사랑하는 테스. 진심으로 당신과 결혼하기를 원하오."

"제게 어떤 잘못이 있더라도 당신이 저를 원하고, 또 저 없이 살 수 없다고 하시니 당신과 결혼할 수밖에 없군요. 당신의 청혼을 받아들이겠어요."

"테스, 당신은 영원한 나의 사랑이오."

에인절의 말에 테스는 뜨거운 눈물을 흘렸다.

"테스, 왜 우는 거요?"

"당신의 여자가 되어 행복하게 해 드릴 생각을 하니 기뻐서 눈물이 나요. 그리고 죽을 때까지 결혼하지 않겠다는 저의 맹세를 깨뜨린 것이 슬퍼서 눈물이 나고요."

테스는 얼른 눈물을 닦아 내며 밝은 표정을 지었다.

"어머니께 편지를 써서 기쁜 소식을 알려야겠어요."

"물론이지. 그런데 가족들은 어디 사시나요?"

"우리 식구 모두 여전히 말롯에 살아요. 블랙무어 계곡에 있는 마을이지요."

"아, 그러고 보니 몇 년 전 말롯을 지날 때 당신을 만난 적이 있는 것 같소."

"그래요, '5월의 무도회' 때 만난 적이 있죠. 그때 당신은 다른 아가씨와 춤을 추더군요."

그때 에인절과 춤을 추었더라면 자신의 인생이 달라졌을지도 모른다고 생각하며 테스는 씁쓸한 미소를 지었다.

다음 날 테스는 어머니에게 결혼을 알리는 편지를 썼다. 며칠 뒤 서툰 글씨체로 정성 들여 쓴 어머니의 답장이 도착했다.

테스 보아라.

건강히 잘 지내는지 무척 궁금하구나. 우리는 잘 지내고 있단다.

너의 결혼 소식을 듣고 얼마나 기뻤는지 모른다.

한 가지 당부할 말은 무슨 일이 있더라도 지난 일을 그 사람한테 털어놓지 말라는 것이다. 사랑하는 사람의 행복을 위해서라도 침묵을 지키는 것이 최선이란다.

테스, 기운을 내라. 네 신랑 될 사람한

테도 안부를 전해 다오.

사랑하는 어머니가

테스는 어머니의 편지를 받은 뒤에야 마음의 안정을 얻을 수 있었다.

에인절은 크릭 부부에게 테스와의 결혼 소식을 알렸다.

"아, 정말 잘됐네. 테스야말로 자네에게 딱 어울리는 아가씨지."

테스는 그런 칭찬을 듣고 있기가 불편했다. 그래서 슬그머니 자리에서 일어나 숙소로 돌아왔다.

레티와 메리언, 이즈가 달려와 테스를 둘러쌌다.

"축하해. 우리 모두 그분을 사랑했지만 그분과의 결혼까지 꿈꾼 건 아니었어."

레티가 말하자 이즈가 나섰다.

"맞아. 그분은 좋은 가문의 아가씨와 결혼할 줄 알았거든. 하지만 우리와 같은 일꾼인 테스가 그분의 아내가 된다니, 정말 자랑스러워."

"그분과 결혼해도 나를 미워하지 않을 거지? 그분은 너희들 중 한 사람과 결혼해야 행복할 텐데."

"그게 무슨 소리야?"

이즈가 눈을 동그랗게 뜨고 물었다.

'너희들에게는 슬픈 과거가 없잖아.'

테스는 차마 입 밖으로 꺼내지 못할 말을 떠올리고는 침대에 엎드려 울음을 터트렸다.

마음씨 고운 처녀들은 테스를 꼭 안아 주었다.

"미워하다니, 우린 진심으로 축하해. 그분한테는 네가 제일 잘 어울려. 너는 우리보다 숙녀답고 지혜롭잖아. 게다가 그분이 진심으로 사랑하는 사람은 바로 너야. 그러니 자신감을 가져도 돼."

테스는 메리언의 말에 자신감을 얻기는커녕 더욱 깊은 죄의식이 생겼다.

5장
슬픈 고백

테스는 자꾸 망설이며 결혼 날짜를 미루었다. 마음속으로는 영원히 결혼하지 않고 에인절과 지금처럼 지냈으면 하는 바람도 있었다. 하지만 그럴 수는 없는 일이었다.

크릭 부인은 에인절과 테스가 함께 일할 시간을 많이 갖도록 배려(配慮)해 주었다.

"테스, 크릭 씨에게서 겨울철에는 일꾼이 많이 필요 없다는 얘기를 들었소."

"맞아요, 소들이 새끼를 낳을 때는 사람이 별로 없어도

배려(配慮) : 여러모로 자상하게 마음을 씀.

되지요."

"나는 크리스마스에 떠날 거요. 테스, 우리 결혼해서 함께 떠납시다."

두 사람은 일을 마치고 돌아오던 길에 결혼식 날짜를 정했다. 에인절은 크릭 부부에게 이 사실을 알렸다. 하지만 목장 사람들에게는 당분간 비밀로 해 달라고 부탁했다.

에인절은 결혼한 뒤 밀농사와 함께 방앗간도 해 볼 계획이었다. 그러기 위해서는 방앗간 일도 미리 배워 두어야 했다. 그래서 웰브리지에 있는 물방앗간 주인으로부터 원하면 언제든 찾아와도 좋다는 허락까지 받아 둔 상태였다.

이런저런 계획들을 세우고 일을 처리하는 동안 결혼식이 코앞에 다가왔다. 12월 31일, 이날이 바로 에인절과 테스가 결혼식을 올리는 날이었다.

테스는 결혼식 날 입을 드레스 때문에 고민에 빠졌다. 하지만 에인절이 드레스는 물론 구두와 모자까지 세심하게 준비해 준 덕분에 테스의 고민은 해결되었다. 그중에서도 특히 테스의 마음에 든 것은 우아한 웨딩드레스였다.

"에인절, 고마워요. 당신은 정말 생각이 깊으시군요."

테스는 2층으로 올라와 드레스를 입어 보았다. 그러고는 거울 속에 비친 자신의 모습을 물끄러미 들여다보았다. 문득 어머니가 빨래를 할 때 즐겨 부르던 민요가 떠올랐다.

'한 번 잘못한 여자에게는 절대 어울리지 않는 옷, 그게 웨딩드레스라네.'

테스는 과거의 비밀이 탄로_{綻露} 나면 어쩌나 하는 불안감에 또다시 빠져 들었다.

테스의 속마음을 알 리 없는 에인절은 결혼식을 올리기 전에 근사한 데서 식사를 하자고 했다. 두 사람은 이륜마차를 타고 목장에서 조금 떨어진 번화가로 갔다. 마침 크리스마스이브라 거리는 사람들로 붐볐다.

에인절은 마차를 세워 두고 테스와 팔짱을 낀 채 유명한 식당 안으로 들어섰다. 사랑하는 남자 때문에 더욱 행

탄로(綻露) : 비밀 따위가 드러남. 또는 비밀 따위를 드러냄.

복한 테스의 얼굴이 아름답게 빛났다. 식사를 하던 남자들의 시선이 테스에게 쏠리자 에인절은 우쭐함을 느꼈다.

식사를 마치고 에인절이 마차를 찾으러 간 동안 테스는 식당 앞에 서 있었다. 그때 두 남자가 테스 앞을 지나쳤다. 그중 한 남자가 테스의 얼굴을 보더니 걸음을 멈추었다. 순간 테스는 가슴이 철렁 내려앉았다. 자기의 과거를 모두 알고 있는 톨버데이스 사람인 것 같았다.

마차를 끌고 오던 에인절은 테스의 표정이 겁에 질려 있는 것을 보고 화가 머리끝까지 났다. 두 남자가 테스에게 집적거리는 줄로 오해한 것이다. 에인절은 마차를 세운 뒤 쏜살같이 달려가 테스 앞에 서 있는 남자의 멱살을 잡고는 주먹을 날렸다.

엉겁결에 얻어맞은 남자는 공격 자세를 취하다가 무슨 생각이 들었는지 에인절에게 사과했다.

"미안합니다. 내가 아는 여자인 줄 알고 쳐다봤어요."

에인절은 치료비로 쓰라고 남자에게 5실링을 건넨 뒤 테스와 함께 마차 위에 올랐다.

"정말로 자네가 착각한 거야?"

마차를 떠나보낸 뒤 친구가 묻자 테스의 얼굴을 뚫어지게 보던 남자가 입을 열었다.

"말롯 마을을 떠들썩하게 만든 그 여자가 확실해. 하지만 남자 기분을 상하게 하고 싶지는 않더군."

두 남자는 마차와 반대 방향으로 길을 떠났다.

한편 목장으로 돌아온 테스는 에인절과 헤어진 뒤 잠자리에 들었으나 잠이 오지 않았다. 식당 앞에서 만난 남자가 자기의 과거를 알고 있는 톨버데이스 사람이라고 생각하니 불안해서 잠을 이룰 수가 없었다.

고민하던 테스는 자리에서 벌떡 일어나 편지를 쓰기 시작했다. 말로는 털어놓을 수 없는 지난 일들을 편지지에 빼곡히 쓰고 나니 비로소 마음이 홀가분해졌다. 테스는 편지 봉투에 '에인절 클레어'라고 쓴 뒤 에인절의 방문 밑으로 살그머니 밀어 넣었다.

다음 날 아침 에인절은 테스를 보자 평소와 같이 밝은 미소를 띠었다.

'도대체 편지를 보았을까?'

미심쩍은 구석이 있었으나 테스는 에인절이 편지를 보았고 자신을 용서해 준 것으로 믿고 싶었다.

마침내 결혼식 날이 밝았다.

에인절보다 먼저 아침 식사를 끝낸 테스는 사랑하는 사람이 그동안 홀로 지낸 방 안을 둘러보고 싶었다. 에인절의 방앞으로 간 테스의 시선이 한 곳에 오래 머물렀다. 문틈 사이로 편지 봉투가 살짝 보였기 때문이다.

'아, 에인절은 아직 편지를 보지 못했구나!'

테스는 편지를 갈기갈기 찢어 버렸다. 에인절에게 편지가 전해지지 않은 것은 고백하지 말라는 암시 같았다. 하지만 양심상 그럴 수는 없었다.

"에인절, 당신에게 꼭 해야 할 얘기가 있어요. 저의 실수와 잘못을 모두 말하고 싶어요."

테스는 바삐 돌아다니는 에인절을 간신히 붙들고는 사정했다.

"테스, 오늘은 우리의 결혼식 날이오. 나중에 이야기합

시다. 나도 당신에게 할 말이 있소. 자, 출발합시다."

예식은 순조롭게 진행되었다. 에인절이 원하는 대로 양가 부모는 모시지 않고 톨버데이스 목장 식구들만 초대해 올린 간소한 결혼식이었다.

결혼식을 마치고 교회 밖으로 나왔을 때 은은한 종소리가 사방에 울려 퍼졌다.

두 사람은 웰브리지 근처의 옛 농가에 숙소를 정하고 그곳에서 며칠 동안 머물기로 했다. 크릭 부부와 레티, 이즈, 메리언이 울타리 밖까지 나와서 두 사람을 배웅했다. 세 처녀의 표정은 매우 슬퍼 보였다. 에인절에 대한 사랑을 접었다 해도 막상 다른 여자와 결혼해서 떠나는 모습을 보니 치밀어 오르는 설움을 억누를 길이 없었다.

그때 수탉의 울음소리가 사람들의 귓가를 울렸다.

"아니, 오후에 웬 닭이 우는 거야? 오후에 닭이 울면 좋지 않은 일이 생기잖아."

은은(隱隱) : 먼 데서 울리어 들려오는 소리가 들릴락 말락 하게 아득함.

사람들은 불길한 표정을 지으며 수군거렸다.

에인절과 테스는 웰브리지 농가에 도착했다. 짐은 목장에서 일하는 조너선 영감이 어둡기 전에 가져다주기로 했으므로 두 사람은 차를 마시며 기다렸다.

노크 소리가 나 에인절이 나갔더니 심부름하는 아이가 상자 하나를 내밀었다. 뜻밖에도 에민스터의 집에서 테스에게 보낸 선물이었다. 상자 겉에는 클레어 목사의 필체로 '에인절 클레어 부인 앞'이라고 쓰여 있었다.

"테스, 우리 집에서 당신한테 선물을 보내왔소. 참 사려思慮 깊은 분들이시지."

상자 속에는 목걸이와 팔찌, 귀걸이 따위가 들어 있었다. 에인절의 할머니가 돌아가시면서 손자며느리에게 물려주라고 남긴 것이었다.

"이런 보석들이 제게 어울릴까요?"

"당신은 보석들로 치장하지 않아도 충분히 아름답소."

사려(思慮) : 여러 가지 일에 대하여 깊이 생각함.

에인절은 화려한 보석으로 치장한 테스를 보며 칭찬을 아끼지 않았다.

조너선 영감은 약속보다 늦게 도착했다.

"아유, 말도 마세요. 오후에 수탉이 울면 불길한 일이 생긴다더니 그 말이 딱 맞더라고요. 두 분이 떠나신 뒤 세 처녀가 술을 엄청 마셨나 봐요. 철부지 레티는 물에 뛰어든 걸 간신히 건져 냈고, 메리언은 아예 풀밭에 누워 버렸어요. 이즈는 울고불고 난리치는 걸 겨우 재웠고요."

테스는 착한 처녀들에게 몹쓸 짓을 한 것 같아 착잡했다. 그리고 자신이 에인절과 결혼할 자격이 있는지 다시 한 번 돌아보았다.

조너선 영감이 돌아간 뒤에도 테스의 표정은 굳어 있었다. 에인절은 두 손으로 테스의 뺨을 감싸며 화제를 다른 데로 돌렸다.

"테스, 오늘 아침에 내게 할 말이 있다고 했지? 나도 당신한테 고백할 게 있소."

"당신이 제게 고백할 게 있다고요?"

테스는 지금이야말로 하늘이 내린 기회라고 생각하며 반색을 했다.

"테스, 내가 좀 더 일찍 말하지 못한 것은 내 생애 최고의 선물인 당신을 놓칠까 봐 겁이 났기 때문이오. 결혼식 날짜를 정한 뒤로는 정말 고민이 많았소. 어제도 당신에게 고백하려고 마음을 굳게 먹었소. 적어도 결혼식 전에 말해야 당신에게 달아날 기회라도 주는 거니까. 하지만 결국 아무 말도 못했소. 오늘 아침에 당신이 이야기를 하자고 했을 때도 나는 미루고 말았소. 테스, 죄 많은 나를 용서해 주겠소?"

"물론이죠. 얼른 말씀해 보세요."

"나는 원래 성직자가 되고 싶었소. 그 당시에는 순결을 존중하고 불결한 것을 증오했지. 물론 지금도 그 생각에는 변함이 없소. 하지만 인생에 회의懷疑를 느껴 방황할 때 여자를 만나 한동안 방

에인절이 뭘 고백한다는 걸까? 무척 궁금한걸.

회의(懷疑) : 의심을 품음. 또는 마음속에 품고 있는 의심.

탕한 생활을 했소. 그 때문에 성직자가 될 수 없었던 거요. 테스, 어리석은 짓을 저지른 나를 용서하시오."

테스는 에인절의 손을 꼭 잡아 주었다.

"에인절, 당신 말을 듣고 나니 오히려 고맙네요. 이제 당신도 저를 용서해 주실 테니까요. 저 역시 지난날의 실수와 잘못을 모두 말하고 싶어요."

테스는 과거의 슬픈 이야기를 털어놓기 위해 호흡을 가다듬었다. 그러고는 알렉 더버빌과의 첫 만남부터 체이스 숲에서의 밤, 그 뒤 벌어진 일들까지 침착하게 이야기했다.

테스는 떠올리기조차 싫은 슬픈 과거를 용기를 내 말하고 있어. 에인절이 테스를 이해하고 용서해 줄까?

6장
예상하지 못한 이별

테스는 한마디 변명도 없이 눈물도 보이지 않고 모든 이야기를 담담하게 끝냈다. 에인절의 얼굴은 마치 유령처럼 하얗게 질렸다. 고개를 숙이고 아무 말도 하지 않던 에인절은 벌떡 일어나더니 한동안 방 안을 서성거렸다.

"테스, 지금까지 한 말이 모두 사실이오?"

에인절의 목소리에는 아무런 감정도 실려 있지 않았다.

"네."

"왜 미리 말하지 않았소? 아, 맞아! 이야기하려고 했는데 내가 막았지."

테스는 에인절의 발밑에 무릎을 꿇고 머리를 조아렸다.

"에인절, 절 용서해 주시는 거죠? 똑같은 실수를 저지른 당신을 용서했듯이……."

"그래, 당신은 나를 용서했지."

"그럼 당신은 절 용서……"

"테스, 이 경우에는 용서란 말이 적용되지 않소. 과거의 당신과 지금의 당신은 다른 사람이거든. 다른 사람을 어떻게 용서하란 말이오?"

에인절은 기분 나쁜 웃음소리를 냈다. 지금 에인절의 눈에는 테스가 순결의 가면을 쓴 사기꾼으로밖에 보이지 않았다. 테스는 결국 참았던 울음을 터뜨리고 말았다.

"에인절, 저를 사랑하기는 했나요? 당신이 저를 사랑했다면 이렇게 변할 수는 없어요. 저는 당신이 어떤 잘못을 저질렀든 여전히 사랑한다고요."

"테스, 내가 사랑했던 여인은 당신이 아니오. 나는 순결하고 아름다운 농촌 처녀를 사랑했단 말이오."

한동안 흐느끼던 테스의 울음소리가 점점 잦아들었다.

"에인절, 당신의 아내가 되기에는 제가 너무 나쁜 여자인가요?"

"나도 잘 모르겠소. 머릿속이 복잡하니 잠시 나가 산책을 하고 오겠소."

에인절은 조용히 방을 나갔다. 테스는 서둘러 외투를 걸치고 나와 에인절의 뒤를 따랐다. 두 사람은 앞뒤로 나란히 서서 묵묵히 걷기만 했다. 마치 장례식 행렬을 따라가는 사람들 같았다.

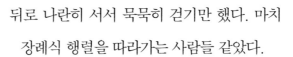

테스에게
잘못이 없다고 말하면서
용서는 해 주지
못하겠다는 건 말이
안 돼!

"에인절, 그때 저는 너무 어렸어요. 남자에 대해서 아무것도 몰랐고요."

"당신이 잘못한 게 아니라 나쁜 남자에게 당한 거요. 그건 나도 인정하지."

"그러면 용서해 주시는 건가요?"

"물론 용서하지. 하지만 용서가 전부는 아니오."

"그럼 지금도 절 사랑하시나요?"

에인절은 더 이상 대답하지 않았다. 에인절의 성격은 대체로 부드럽고 온화한 편이지만 신뢰를 잃으면 관계를 끊어 버리는 단호한 면이 있었다. 두 사람은 한참을 걷다가 숙소로 돌아와 서로 다른 침대에서 잠이 들었다.

다음 날 두 사람은 어색한 분위기에서 아침 식사를 마쳤다. 에인절은 계획대로 웰브리지의 물방앗간을 찾아가 밀가루를 체질하는 방법이나 기계 다루는 법을 익혔다. 그렇게 절망(絶望)의 이틀을 보내면서 에인절은 테스에게 눈길도 주지 않았다. 밤이 되면 두 사람은 각자의 침실로 들어갔다.

테스는 먼동이 틀 때까지 에인절을 기다리며 뜬눈으로 밤을 지새웠다.

"아, 이제라도 날 용서해 준다면 얼마나 좋을까?"

아침이 되자 에인절이 테스의 침실로 들어왔다. 에인절의 표정을 본 테스의 가슴이 쿵 하고 내려앉았다.

"지난 이틀 동안 많은 생각을 했소. 우리가 지금 당장 헤어지면 당신한테 나쁜 소문이 돌 거요. 그러니까 당분

절망(絶望) : 모든 희망이 끊어짐. 또는 희망을 다 버림.

간 부부처럼 지냅시다."

"에인절, 이렇게 살 수는 없어요. 저는 집으로 돌아가
겠어요."

"정말이오?"

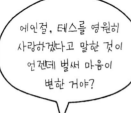

"네, 함께 살아 봤자 서로에게 상처만 줄
거예요. 그냥 헤어져요. 그렇다고 이런 일
을 굳이 남들에게 알릴 필요는 없겠죠."

"아주 현명賢明한 선택이오. 그럼 그렇
게 합시다."

에인절이 너무 쉽게 대답하는 바람에 섭
섭했으나 테스는 얼른 감정을 추슬렀다.

"결국 이렇게 되는군요. 하지만 헤어
지는 것이 최선이라고 생각해요."

"나도 당분간 떨어져 지내는 게 좋을 것 같
소. 생각이 정리되면 연락을 하리다."

현명(賢明) : 어질고 슬기로워 사리에 밝음.

두 사람은 각자의 방에 들어가 짐을 꾸렸다.

다음 날 새벽 1시가 조금 지났을 무렵 테스의 침실 문이 소리 없이 열렸다. 인기척에 놀라 잠을 깬 테스는 에인절이 다가오는 것을 보고 얼른 눈을 감았다.

"죽었구나, 죽었어!"

에인절이 넋이 나간 사람처럼 중얼거렸다. 정신적으로 너무 괴로운 나머지 몽유병 증세를 보여 테스의 침실로 찾아온 것이다. 에인절은 몸을 숙여 두 팔로 테스를 감싸 안으며 다시 중얼거렸다.

"불쌍한 테스, 사랑하는 테스. 그토록 예쁘고 착하고 진실한 사람이었는데……."

테스는 눈을 감은 채 에인절의 손길에 자신의 몸을 맡겼다. 에인절에 대한 무한한 신뢰 때문인지 테스는 조금도 두렵지 않았다.

"내 아내가 죽었어!"

에인절은 테스를 번쩍 안아 들더니 신발도 신지 않은 채 숙소를 나섰다. 강둑을 따라 걷던 에인절은 수도원 안으로 들어가 텅 빈 석관에 테스를 눕히고 입맞춤을 했다. 그리고는 안도의 한숨을 내쉬고 석관 옆에서 깊이 잠들었다. 에인절은 톨버데이스 목장에서 테스와 세 처녀가 웅덩이를 건너지 못해 발을 동동 구를 때 한 사람씩 안아서 건네줄 때의 꿈을 꾸는 듯했다. 그때 에인절은 처음으로 테스의 뺨에 입맞춤을 했다.

테스는 잠든 에인절을 흔들어 깨웠다.

"어서 일어나요. 날씨가 꽤 쌀쌀해요. 병이라도 나면 어떡하려고요?"

에인절은 아무리 흔들어 깨워도 일어나지 않았다.

테스는 에인절을 가만히 껴안으며 귀엣말로 속삭였다.

"에인절, 우리 함께 걸어요."

그러자 주술呪術에 걸린 사람처럼 벌떡 일어난 에인절은 테스의 손을 잡고 숙소로 돌아왔다. 테스는 에인절을 침대에 눕히고 이불을 덮어 주었다.

주술(呪術) : 불행이나 재해를 막으려고 주문을 외거나 술법을 부리는 일.

아침에 눈을 뜬 에인절은 새벽에 무슨 일이 있었는지 하나도 기억하지 못하는 듯했다. 테스도 아무런 내색 없이 에인절의 깊은 사랑을 마음속에 간직했다.

'그래, 에인절은 아직도 날 사랑해. 조용히 기다리면 언젠가는 다시 내게 돌아올 거야.'

그날 점심을 먹으며 에인절이 말했다.

"우리 서로를 이해하도록 합시다. 내 마음이 정리되면 당신을 찾겠소. 하지만 당신이 먼저 나를 찾는 일은 없었으면 하오. 아, 혹시 아프거나 필요한 게 있으면 편지는 해도 좋소."

에인절은 은행에서 미리 찾아 둔 상당한 액수의 돈을 테스에게 건넨 뒤 조용히 밖으로 나갔다.

테스가 탄 마차가 블랙무어 계곡에 접어들었다. 테스는 마을 사람들 눈에 띄지 않도록 여기서 마차를 돌려보냈다. 그러고는 한참을 걸어 집에 도착했다.

"어머니, 제가 돌아왔어요."

"테스, 이번에는 진짜 결혼한 거니? 결혼식에도 불러 주지 않고……. 그런데 네 남편은 어디 있니?"

"네, 저 진짜 결혼했어요. 그리고 남편은 잠깐 어디 갔어요."

"잠깐 어디 갔다고? 신부 혼자 친정親庭에 보내고 어딜 갔다는 거냐?"

어머니의 추궁에 테스는 결국 눈물을 보이고 말았다.

"어머니가 하지 말라는 그 이야기를 남편한테 하고 말았어요."

테스는 울먹이면서 그동안의 일들을 털어놓았다.

"이 철없는 바보, 이 철없는 바보야!"

어머니는 흥분해서 테스를 꾸짖었다.

"알아요, 어머니가 보시기에는 제가 또 실수를 저지른 거겠지요. 하지만 사랑하는 남편을 더 이상 속일 수는 없었어요."

친정(親庭) : 시집간 여자의 본집.

"네 아버지가 얼마나 실망하실지 모르겠다. 불쌍한 양반 같으니라고! 딸이 좋은 집안으로 시집갔다고 얼마나 들떠 있었는지 아니?"

그때 마침 술에 취한 아버지가 비틀거리며 집 안으로 들어섰다. 테스는 아버지의 잔소리를 견딜 수 없어 에인절에게서 받은 돈의 절반을 내밀었다. 그 돈을 받고서야 아버지는 잠에 곯아떨어졌다.

한편 앞날을 고민하던 에인절은 농업 이민을 하기에는 브라질이 유리하다는 광고를 보고 떠나기로 마음먹었다. 에인절은 자신의 계획을 알리기 위해 에민스터의 집으로 갔다. 갑자기 들이닥친 아들을 보고 클레어 부인은 화들짝 놀랐다.

"에인절, 결혼식은 잘 치렀니? 농촌 풍습에 맞게 너희끼리 특별한 결혼식을 올린다기에 우리는 참석하지 않았지만 무척 궁금했단다. 할머니의 예물은 잘 받았겠지? 그런데 네 아내는 왜 함께 안 온 거니? 혹시 무슨 일이라도 있는 거야?"

클레어 부인은 많은 질문을 한꺼번에 쏟아 내며 아들을 반겼다.

"결혼식은 아주 잘 치렀어요. 할머니 예물도 고맙게 받았고요. 제 아내는 잠시 친정에 보냈어요. 브라질에 가면 오랫동안 못 돌아올 것 같아서요."

에인절은 부모에게까지 거짓말을 해야 하는 자신이 미워 견딜 수 없었다.

다음 날 집을 나선 에인절은 은행에 들러 30파운드를 맡겼다. 그리고 테스 더버필드 양이 찾아오면 전해 달라고 부탁했다. 에인절은 테스가 사는 고향故鄕 집에 편지를 보내 이 사실을 알려 주었다.

브라질로 떠나기 전에 모든 준비를 마친 에인절은 웰브리지 농가에 들렀다. 테스와의 추억을 떠올리며 이곳저곳을 둘러보던 에인절의 눈가가 촉촉이 젖어들었다.

"클레어 씨, 반갑습니다. 테스 얼굴이나 보고 가려고

고향(故鄕) : 자기가 태어나서 자란 곳.

요. 제가 목장을 떠나거든요."

이즈가 다가오며 반갑게 인사했다.

"아, 그래요? 지금 없는데……."

에인절과 이즈는 함께 근처를 산책한 뒤 마차에 올랐다.

"이즈, 나는 영국을 떠나 브라질로 갑니다."

"테스도 함께 가겠지요?"

"그 사람은 안 가요. 나 혼자 갔다가 1년 뒤에 돌아올 예정이오."

이윽고 이즈가 사는 곳에 마차가 멈추었다.

"테스와 나는 개인적인 이유로 헤어졌소. 이즈, 혹시 나와 함께 떠날 생각은 없소?"

이즈는 갑작스러운 에인절의 제안에 깜짝 놀랐다.

"클레어 씨, 진심으로 저와 함께 가기를 원하세요?"

"그렇소. 사실 너무 지쳐서 이젠 좀 쉬고 싶소. 게다가 당신은 내게 관심이 아주 많은 것으로 아는데……."

"그래요. 저는 오래 전부터 당신을 사랑해 왔어요. 당신과 함께 브라질로 떠날게요."

"이즈, 그렇다면 마차에서 내리지 말고 그대로 앉아 있어요."

에인절은 빠른 속도로 마차를 몰며 이즈에게 물었다.

"이즈, 당신은 나를 얼마만큼 사랑하오? 혹시 테스와 경쟁해도 이길 것 같소?"

"글쎄, 테스를 이길 여자는 없을걸요. 테스는 당신을 위해 목숨까지 바칠 테니까요."

이즈의 솔직한 대답에 에인절은 가슴에 북받쳐 오르는 감동을 느꼈다.

"이즈, 미안하오. 지금까지 우리가 했던 실없는 이야기는 잊어 줘요."

에인절, 아직 늦지 않았어. 이제라도 테스에게 돌아가.

이즈는 자존심이 상했으나 아무래도 에인절이 불안정한 상태인 것 같아 이해하기로 했다.

"클레어 씨, 신이 항상 지켜 주실 거예요. 테스와 다시 잘되기를 빌게요."

"이즈, 고맙소. 당신이 솔직하게 이야기해 준 덕택에 아내를 배신背信하는 잘못을 저지르지 않게 되었소."

닷새 뒤 에인절은 브라질로 떠났다.

같은 시기에 테스도 고향을 떠났다. 마땅한 일자리가 없어 여기저기 떠돌아 다녔지만 에인절이 고향 집 주소밖에 알지 못하므로 사는 데가 바뀔 때마다 꼬박꼬박 집에 편지로 알렸다.

헤어질 때 에인절이 준 돈은 아무리 아껴 써도 점점 줄어들었다. 그 무렵 에인절에게서 30파운드의 돈을 은행에 맡겼다는 것과 브라질로 떠난다는 편지를 받았다.

테스에게 돈이 있다는 것을 알았는지 집에서는 집수리하는 데 돈이 필요하다며 도움을 청했다. 테스는 은행에서 돈을 찾아 20파운드는 집에 보내고 나머지 돈으로 근근이 살았다.

봄여름에는 여러 목장을 돌아다니며 일했으나 겨울에

배신(背信) : 믿음이나 의리를 저버림.

는 일이 거의 없었다. 그러던 중 메리언에게서 일자리가 있다는 편지를 받은 테스는 곧바로 짐을 쌌다.

메리언이 일한다는 플린트콤애시는 작은 시골 마을이었다. 초라한 모습으로 나타난 테스의 표정을 살피며 메리언은 조심스럽게 물었다.

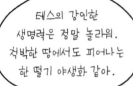

"테스, 무슨 일이 있는 거야? 꼴이 그게 뭐야? 남편은 어디 갔어?"

"메리언, 천천히 이야기할 테니 지금은 아무 것도 묻지 마. 남편은 외국에 나갔고, 내게는 일이 필요해."

"편지에도 썼지만 여기서는 늘 일손이 필요해. 나는 지금 순무 뽑는 일을 하는 데 땅이 척박해서 아주 힘들어. 테스, 그래도 괜찮겠니?"

"상관없어. 무슨 일이든 할게."

일자리를 얻게 된 테스는 어머니에게 편지를 써서 바뀐 주소를 알려 주었다. 혹시라도 에인절과의 연락이 끊길까 봐 걱정스러웠기 때문이다.

일이 힘들다던 메리언의 말은 거짓이 아니었다. 돌투성이 밭에 깊숙이 묻힌 순무를 캐내는 일은 결코 만만하지 않았다. 특히 땅이 꽁꽁 얼어붙는 겨울에는 더 힘들었으나 테스는 누구보다 열심히 일했다.

"날씨가 좋으면 톨버데이스 목장 근처에 있는 산이 여기서도 희미하게 보인단다."

메리언의 말에 테스는 에인절과의 추억을 떠올리며 엷은 미소를 지었다.

"메리언, 톨버데이스에서 일하던 친구들도 여기 오면 얼마나 좋을까?"

"그럼 이즈한테 빨리 편지를 쓰자. 지금 놀고 있다고 했거든."

며칠 뒤 이즈가 찾아왔다. 세 사람은 밤새도록 옛날이야기를 하며 웃음꽃을 피웠다.

어느 날 테스가 순무를 캐는 곳으로 메리언이 슬며시 다가왔다.

"테스, 그분에게 너무 실망했어."

"메리언, 너도 에인절을 흠모_{欽慕}했으면서 왜 그런 말을 하니?"

"물론 한때 그분의 순수한 열정을 사랑했지. 하지만 브라질에 갈 때 이즈한테 같이 떠나자고 했다지 뭐야. 너와 결혼했으면서 어떻게 그런 말을 해?"

테스는 깜짝 놀라 메리언의 얼굴을 바라보았다.

"에인절이 그런 말을 했다고? 그런데 왜 같이 가지 않았대? 이즈가 거절한 거야?"

"아냐, 그분이 금세 마음을 바꾸었대."

"그럼 진심이 아니었겠네. 남자들은 여자한테 그런 농담을 잘하잖아."

말은 그렇게 했으나 테스의 입에서 어느새 흐느낌이 새어 나왔다.

"이런, 이즈가 말하지 말라고 했는데……. 내가 괜히 말했나 봐."

흠모(欽慕) : 마음으로 공경하여 사모함.

"아냐, 말해 줘서 고마워. 내가 너무 소극적이었던 것 같아. 그이가 하는 대로 지켜보고만 있었거든. 이번에는 내가 먼저 편지를 써야겠어."

그날 밤 테스는 에인절에게 격정(激情)적인 편지를 써 내려갔다. 하지만 남편이 자기를 버리고 다른 여자와 함께 떠나려고 한 일을 떠올리자 가슴이 떨려 더 이상 글을 쓸 수가 없었다. 결국 테스는 편지를 꼬깃꼬깃 구겨 휴지통에 버리고 말았다.

테스, 마음을 가라앉혀. 에인절도 마음의 갈피를 잡기 어려워 그랬을 거야.

격정(激情) : 강렬하고 갑작스러워 누르기 어려운 감정.

7장
마지막 선택

  에인절이 떠난 지도 어느덧 1년이 되었다. 오랜 고민 끝에 테스는 에인절의 부모를 만나 보기로 했다. 그분들에게 남편의 소식도 묻고 자신의 슬픈 이야기도 털어놓고 싶었다.

  테스는 용기를 내어 에민스터로 향했다. 그날이 마침 일요일이라 클레어 목사의 교회는 사람들로 붐볐다. 테스는 먼발치에서 에인절의 가족을 발견했으나 차마 그들 곁으로 다가갈 수는 없었다.

  힘없이 발길을 돌린 테스는 에민스터를 떠나 작은 마을로 들어섰다. 무슨 일인지 사람들이 광장을 가득 메우고 있었다. 테스는 호기심을 느껴 천천히 다가갔다. 한 남자가 사람들에게 둘러싸여 설교를 하고 있었다.

남자와 눈이 마주친 순간, 테스는 그 자리에 얼어붙고 말았다. 바로 알렉 더버빌이었기 때문이다. 설교 중이던 알렉 역시 한동안 아무 말도 하지 못했다.

'내 인생을 파멸시킨 남자는 죄를 말끔히 씻고 하느님의 말씀을 설교하는데, 나는 아직도 죄의 구렁텅이에 빠져 있다니……'

테스는 굳은 표정으로 그곳을 빠져나왔다. 서둘러 설교를 마친 알렉이 뒤쫓아 왔다.

"테스! 나야, 나. 알렉 더버빌이라고."

"알고 있어요. 하지만 알은체하고 싶지는 않네요."

"당신 눈에는 지금 내 모습이 우습게 보일 수도 있겠군. 하지만 이제 나는 예전의 바람둥이 알렉이 아냐. 클레어 목사님을 만나고 난 뒤 다시 태어났지."

"그만! 더 이상 듣고 싶지 않아요. 당신이 내게 얼마나 큰 죄를 저질렀는지 안다면 지금처럼 뻔뻔하게 말할 수는 없을 거예요."

"테스……."

멍하니 서 있는 알렉을 뒤로 한 채 테스는 플린트콤애시로 돌아왔다. 하지만 알렉과의 질긴 인연이 여기서 끝난 것은 아니었다.

며칠 뒤 알렉이 테스를 찾아왔다. 테스는 순무에 달린 잔털과 흙을 털어 낸 다음 순무 써는 기계 속에 던져 넣는 일을 하고 있었다. 알렉이 다가오는 것을 알고 테스는 머리에 쓴 수건을 깊숙이 눌러썼다.

"테스, 한참을 고민하다가 찾아온 거야. 그때는 내가 정말 나빴어. 어떻게든 책임을 졌어야 했는데……. 테스, 나와 결혼해 줘. 여기 결혼 허가증까지 만들어 왔어."

"아, 안 돼요. 나는 당신을 사랑하지 않아요."

테스는 깜짝 놀라 뒤로 물러서며 소리쳤다.

"테스, 나와 결혼하면 당신은 더 이상 순결을 잃은 처녀가 아냐. 당당한 나의 아내가 되는 거라고."

"당신과는 절대 결혼할 수 없어요. 나는 다른 사람을 사랑한다고요."

"그래? 그 사람도 당신을 사랑하나?"

"물론이에요. 게다가 나는 그 사람과 결혼한 몸이에요."

"결혼했다고? 테스, 당신이 결혼을 했단 말이지?"

알렉은 힘없이 중얼거리며 결혼 허가증을 찢어 버렸다.

그러고는 테스에게 다시 물었다.

"테스, 결혼까지 했으면서 이런 고생을 하는 거야? 대체 당신 남편은 뭘 하는 사람이야? 무능력한 사람 같은데 내가 좀 도와주지."

알렉도 테스를 진심으로 사랑하고 있는 것 같은걸.

"그이는 지금 멀리 가 있어요. 그리고 당신 도움 따위는 필요 없으니 돌아가요."

테스가 더 이상 상대해 주지 않자 알렉은 맥없이 돌아설 수밖에 없었다.

겨울도 가고 봄이 막 시작될 무렵 알렉이 또다시 찾아왔다.

"테스, 참으려고 했지만 당신이 보고 싶어 견딜 수가 없었어."

"왜 이렇게 나를 괴롭히는 거예요?"

"그건 내가 묻고 싶은 말이야. 테스, 왜 이렇게 나를 괴롭히지?"

"나는 한 번도 당신을 괴롭힌 적 없어요."

"천만에, 당신은 항상 내 머릿속에 맴돌면서 나를 괴롭히고 있어. 그래서 나는 전도사 직함職銜도 버렸어."

"아니, 설교하는 일을 그만두었다고요?"

"그래, 당신 때문에 나는 신앙까지 버렸어. 그러니 당신도 책임을 져야 해. 테스, 다시 한 번 진지하게 말하지. 당신이 결혼했다지만 당신은 다른 남자의 아내가 될 수 없어. 내 여자라고. 게다가 당신 남편이란 작자는 당신을 버렸잖아. 하지만 나는 당신과 당신 부모 그리고 동생들까지 책임질 능력이 있어."

"알렉, 더 이상 당신 말을 듣고 싶지 않아요. 당장 내 눈앞에서 사라져요."

"그래, 오늘은 이쯤하고 다음에 또 오지."

직함(職銜) : 직책이나 직무의 이름.

그날 저녁 테스는 많은 생각 끝에 에인절에게 기나긴 편지를 썼다.

그리운 남편에게

에인절, 당신이 너무 보고 싶군요. 누구라고 밝힐 수는 없지만 저는 지금 나쁜 남자에게서 강한 유혹을 받고 있어요. 끔찍한 일이 벌어지기 전에 지금 당장 돌아오실 수는 없나요? 혹시 제게 오실 수 없으면 제가 당신께 갈 수 있도록 해 주세요.

에인절, 저는 당신이 사랑했던 바로 그 여자예요. 당신을 만난 순간부터 과거는 제게 아무 의미도 없었어요. 왜 그걸 모르세요?

당신의 아내가 될 수 없다면 하녀라도 되어서 당신과 함께 있고 싶어요. 제발 돌아와서 저를 위협하는 것들로부터 구해 주세요.

슬픔에 잠긴 당신의 아내가

테스는 브라질로 편지를 보낸 뒤 답장을 기다리며 하루 하루를 보냈다. 그러나 기다리는 에인절의 답장은 오지 않고 고향에서 여동생이 찾아왔다.

"테스 언니, 정말 멀다. 하루 종일 걸었더니 다리가 너무 아파."

"웬일이야? 집에 무슨 일이라도 있어?"

"언니, 엄마가 몹시 편찮으셔. 아버지도 건강이 안 좋으시고."

테스는 플린트콤애시에서의 생활을 정리하고 동생과 함께 고향 집으로 돌아왔다. 간병을 하던 이웃집 아주머니는 어머니가 막 잠들었으며 증세도 나아졌다고 소곤거렸다.

큰딸이 돌아오자 아버지와 어머니 모두 조금씩 건강이 좋아졌다. 테스는 집 가까운 곳에 밭을 얻어 채소를 가꾸었다. 호미를 들고 밭일을 하다 보면 시간 가는 줄 몰랐다.

호미는 김을 매거나 감자나 고구마 따위를 캘 때 쓰는 쇠로 만든 농기구를 말한다.

그런데 어느 날 갑자기 아버지가 돌아가셨다. 심장이 안으로 부어 있는 것을 미처 발견하지 못했던 것이다. 반면에 앓던 어머니는 완쾌하여 자리에서 일어났다.

아버지가 돌아가시자 그동안 빌려 살고 있던 집을 내놓아야 할 처지가 되었다. 테스는 우선 다른 마을에 작은 집을 빌려 떠나기로 했다. 집 안팎을 분주하게 돌아다니며 이삿짐을 싸는 테스 앞으로 낯선 남자가 찾아왔다.

"테스 더버필드 양이시죠?"

"네, 그런데 누구세요?"

"더버필드 양이 이사할 집에서 심부름을 보내 왔습니다. 그 댁에서 사정이 생겨 집을 빌려 드릴 수 없게 되었다네요. 아무래도 다른 집을 구하셔야 할 것 같습니다. 그럼 이만!"

테스는 낯선 남자의 모습이 사라질 때까지 그 자리에 멍하니 서 있었다. 이 난감한 상황을 어떻게 헤쳐 나가야 할지 판단이 서지 않았다.

발 없는 소문은 어찌나 빨리 퍼지는지 몇 시간도 지나

지 않아 알렉이 찾아왔다.

"무슨 일로 오셨죠?"

"이사할 집에 문제가 생겼다고 들었어. 앞으로 어떻게 할 거야?"

"상관 마세요. 내가 알아서 해결할 거예요."

"괜한 고집 피우지 말고 나와 함께 가. 당신 식구가 살 집을 구해 놓았거든. 내게도 당신을 돌봐 줄 책임이 있잖아."

"그렇지만 당신이 마련해 준 집에서 남편을 기다릴 수는 없잖아요."

"테스, 나는 남자를 잘 알아. 당신은 믿고 싶지 않겠지만, 그 남자는 돌아오지 않아. 여자의 과거를 알고 나서도 돌아올 남자는 없다고."

테스는 알렉의 말을 믿고 싶지 않았다. 그러나 쇠약해진 어머니와 동생들을 거리로 내몰 수는 없었다. 알렉의 도움을 받아들이기로 한 테스는 아무런 소식도 없는 에인절에게 마지막 편지를 썼다.

에인절!

당신은 저를 왜 이렇게 잔인하게 대하시나요?

그동안의 일들을 곰곰 생각해 봤지만 절대로 당신을
용서할 수 없어요.

당신은 정말 잔인해요. 이제 당신을 잊을 거예요.

당신이 제게 한 행동들은 모두 옳지 않아요.

한편 브라질에 간 에인절은 열병에 걸려 죽을 고비를
간신히 넘겼다. 철저한 준비 없이 도망치듯이 온 것이라
이곳에서 농장을 경영하는 일이 쉽지는 않
았다. 하지만 테스에 대한 사랑만은 되살
아났다. 에인절은 시간이 흐를수록 자신의
어리석은 행동들이 부끄러웠고 그만큼 더
테스가 그리웠다.

그 무렵 테스에게서 편지가 날아들었다.
에인절은 테스의 상황이 좋지 않은 것을
알고 브라질 생활을 하나하나 정리했다.

그러던 중 테스에게서 다시 편지가 왔다. 이제는 에인절을 잊겠다는 내용이었다. 에인절은 서둘러 영국의 에민스터 집으로 돌아왔다.

"오, 에인절! 드디어 돌아왔구나."

클레어 부인이 반갑게 맞았다.

에인절은 해골처럼 말랐고 많이 초췌해 보였다. 클레어 목사 부부는 쇠약해진 아들을 보고 충격을 받았다.

에인절이 테스가 그리워 병이 난 걸 아닐까?

"그동안 많이 아팠어요. 하지만 이제는 괜찮으니까 너무 걱정 마세요."

에인절은 애써 밝은 표정을 지으며 부모를 안심시켰다. 하지만 1년여의 외국 생활이 무척 고단했는지 며칠 동안 침대에서 일어나지도 못할 정도로 심하게 앓았다.

완전하게 몸을 회복한 에인절은 테스를 찾아 나섰다. 수소문 끝에 테스의 어머니 더버필드 부인이 사는 곳을 알아낼 수 있었다. 더버필드 부인은 예고도 없이 찾아온 에인절을 보고 쉽게 마음의 문을 열지 않았다. 하지만 에인절이 진심으로 잘못을 뉘우치자 한참을 망설이다가 테스가 있는 곳을 말해 주었다.

"테스는 지금 샌드본에 있어요. 여행 중이거든요."

"여행 중이라고요? 샌드본은 휴양지休養地인데 테스가 왜 그곳을 갔나요?"

"자세한 일은 테스에게 직접 물어보세요."

에인절은 테스의 집을 나와 샌드본으로 향했다. 여관에서 하루를 묵은 에인절은 날이 새자마자 테스의 행방을 수소문했다.

"클레어 부인이 머무는 곳을 아십니까?"

테스의 소식을 알 만한 사람들을 찾아다니면 물었지만 모두 고개를 저을 뿐이었다. 에인절은 테스가 처녀 시절 이름을 계속 사용할지도 모른다는 생각이 문득 들었다.

"혹시 더버필드 양이라고 들어 보셨나요?"

휴양지(休養地) : 편히 쉬면서 마음과 몸을 건강하게 하는 곳.

"음, 더버필드는 몰라도 헤론즈 여관에 더버빌이란 분이 묵고 있어요."

"헤론즈는 어떤 곳입니까?"

"아주 훌륭한 여관이지요."

서둘러 헤론즈 여관에 도착한 에인절은 초인종을 눌렀다. 여관 주인이 나와 문을 열었다.

"더버빌 부인을 찾는다고요?"

"그렇습니다."

에인절은 급한 일이라 밝히고 만나기를 청했다. 이윽고 위층에서 누군가 내려오는 소리가 들렸다. 문가에 나타난 사람은 바로 테스였다. 하지만 에인절이 예상하던 시골 처녀의 모습이 아니었다. 원래 아름다웠으나 지금은 고상한 옷차림까지 더해 눈이 부실 정도였다.

"테스! 정말 테스가 맞소? 내가 잘못했소. 나에게 돌아와 줘요."

"안 돼요, 가까이 오지 마세요. 에인절, 당신을 얼마나 기다렸는지 몰라요. 하지만 이제 너무 늦었어요."

테스는 고통스럽게 말했다.

"미안하오. 당신의 참모습을 미처 깨닫지 못한 나를 용서하오. 이제야 나는 당신이 얼마나 소중한지 깨달았소."

"너무 늦었어요. 편지도 두 번이나 썼지만 당신은 오지 않았잖아요. 그 사람은 당신이 절대 오지 않을 거라면서 나더러 어리석은 여자라고 했어요. 아버지가 돌아가신 뒤로 그 사람은 저와 저의 식구에게 정말 잘해 주었어요. 그래서 결국 그 사람이, 그 사람이 나를 되찾아갔다고요."

"테스, 그게 무슨 말이오?"

"그 사람은 지금 2층에 있어요. 당신이 돌아오지 않는다고 했는데······. 그 사람이 거짓말을 했군요. 하지만 이제 어쩔 수 없어요. 에인절, 제발 돌아가세요."

테스는 그 자리에 선 채 꼼짝도 하지 않는 에인절을 남겨 두고 2층으로 뛰어 올라갔다.

두 사람의 대화를 엿듣던 여관 주인은 호기심이 생겼다. 그래서 살그머니 2층으로 올라와 테스가 묵고 있는 방의 열쇠 구멍을 통해 안을 들여다보았다.

"아아……."

식탁 의자에 앉은 테스의 입에서 절망의 신음이 새어
나왔다.

"왜 그래?"

옆에서 지켜보던 알렉이 화를 내자 테스는 조그
맣게 중얼거렸다.

"그가, 사랑하는 내 남편이 돌아왔어요.
당신은…… 동생들과 어머니를 돌봐 주겠
다는 핑계로 내게 접근했어요. 그리고 남편
이 돌아오지 않을 거라고 거짓말을 했죠. 당
신이 미워요! 당신 때문에 또다시 그를 잃
어버렸다고요!"

불행은 사람을
강하게 만들기도 하지만
타락으로 이끌기도
한단다.

흥분한 테스가 울면서 소리치다가 입술
을 깨물었다. 그 바람에 테스의 입에서 피가
흘러내렸다. 알렉이 욕설을 퍼부었으나 테스는 아랑곳하
지 않고 계속 중얼거렸다.

"얼굴이 창백한 게 아무래도 그이가 죽을 것 같아요.

내가 지은 죄 때문에 그가 죽게 되었다고요. 아아, 당신은 내 인생을 산산조각 내고 말았어요. 진실한 내 남편은 절대 나를 용서하지 않을 거예요. 아, 하느님! 더 이상, 더 이상은 참을 수 없어요!"

테스는 식탁 의자에서 벌떡 일어났다.

깜짝 놀라 열쇠 구멍에서 눈을 뗀 여관 주인은 재빨리 계단을 내려왔다. 잠시 뒤 층계에서 옷자락 스치는 소리가 나더니 테스가 현관문을 닫고 밖으로 뛰쳐나갔다. 여관 주인은 이상한 생각이 들어 2층으로 올라가 보았다. 그곳에는 알렉이 칼에 찔린 채 바닥에 쓰러져 있었다.

에인절은 테스와 헤어져 숙소로 돌아왔다. 더 이상 이곳에 머물 이유가 없었다. 에인절은 짐을 정리해서 밖으로 나왔다. 한참을 걷던 에인절은 누군가 뒤쫓아 오는 것 같아 고개를 돌렸다. 바로 테스였다.

"당신이 떠나는 뒷모습을 보니 견딜 수가 없었어요. 그래서 계속 따라왔어요."

테스는 온몸을 사시나무 떨듯 떨었다. 에인절은 두 손으로 테스의 손을 감쌌다.

"에인절, 내가 그 사람을 죽였어요."

얼굴이 백짓장처럼 창백해진 테스가 희미하게 웃었다.

"뭐라고요?"

순진한 시골 처녀 테스가 살인까지 저지르다니 운명의 여신은 가혹하기도 하군.

"당신을 위해서 또 저를 위해서 그럴 수밖에 없었어요. 그 사람이 우리 인생을 망쳐 놓았거든요. 에인절, 그렇게 사랑했는데 왜 저를 떠난 거예요? 당신이 돌아오지 않아 어쩔 수 없이 그 사람한테 간 거란 말이에요. 하지만 이제 그 사람을 죽였으니 저를 용서해 주시겠죠? 당신 없이는 도저히 살 수 없어요. 에인절, 저를 사랑한다고 말해 주세요."

"당신을 사랑하오, 테스. 좀 더 일찍 당신을 용서하지 못한 나의 어리석음이 부끄러울 뿐이오. 그런데…… 그 사람을 죽였다는 게 사실이오?"

"그래요, 사실이에요. 제게 심한 욕설을 해댔거든요. 게다가 당신까지 모욕侮辱하는 바람에 도저히 참을 수가 없었어요."

에인절은 테스가 충동적으로 저지른 행동에 놀랐으나 그녀의 진실한 사랑을 다시 한 번 확인할 수 있었다. 테스를 지켜 주고 싶은 에인절은 경찰이 테스를 잡아가지 못하도록 서둘러 숲 속으로 도망쳤다.

"지금 어디로 가는 거예요?"

"모르겠소. 외딴 농가라도 찾아봅시다. 테스, 걸을 수 있겠소?"

"그럼요. 사랑하는 당신 팔에 기대서라면 한없이 걸을 수 있어요."

두 사람은 한참을 걷다가 잠시 쉬기로 했다. 테스는 톨버데이스 목장에서 에인절이 웅덩이를 건네줄 때 첫 입맞춤을 한 일이며, 웰브리지에서 몽유병 환자처럼 자기를

모욕(侮辱) : 깔보고 욕되게 함.

안고 수도원까지 걸어가 석관 속에 뉘며 그때와 같이 입
맞춤한 일들을 이야기했다.

"테스, 그런 일이 있었다면 왜 진작 말하지 않았소? 그
럼 당신을 떠나지 않았을 거요."

"그때는 그럴 수밖에 없었어요. 하지만 지
금은 이렇게 함께 있잖아요."

영국 솔즈베리 근교에
있는 스톤헨지는 고대의 거석
기념물로 기원전 2500~1500년
경에 해, 달, 별 등을 관찰하기
위해 세워진 것으로 추측되고
있단다.

경찰들이 쫓아올까 봐 두 사람은
걸음을 재촉했다. 한참을 걷는데 이
상한 소리가 났다.

"에인절, 이게 무슨 소리죠? 어디선가
윙윙 소리가 들려요."

바람은 웅장한 돌기둥을 악기 삼아
연주하듯이 윙윙거렸다.

"바람의 신전 같군. 테스, 이곳은 스톤
헨지요. 테스, 좀 더 가면 쉴 곳이 있을 거요."

"에인절, 여기서 쉬어 가면 안 될까요?"

지쳐 버린 테스는 넓적한 돌 위에 털썩 주저 앉았다. 한

낮의 뜨거운 해를 받은 돌은 기분 좋게 따뜻했다.

"여긴 사람들 눈에 쉽게 띄니까 위험하오. 좀 더 북쪽으로 가면 항구가 있소. 거기서 외국으로 가는 배를 탈 수 있을 거요."

그러나 너무 지친 테스는 제단석에 주저앉더니 몸을 쭉 펴고 누웠다. 테스 옆에 꿇어앉은 에인절은 테스의 이마에 입맞춤을 하며 말했다.

"테스, 피곤하면 잠시만 쉬어요."

"에인절, 죽은 뒤에도 우린 다시 만날 수 있을까요? 알고 싶어요."

에인절은 적당한 말이 떠오르지 않았다.

"에인절, 당신과 내가 이렇게 사랑하는데도 우린 만날 수 없나 보군요."

테스는 아쉬운 듯 말했다.

두 사람 사이에 긴 침묵이 흘렀다. 테스는 어느샌가 까무룩 잠이 들었다.

잠시 뒤 에인절은 인기척을 느끼고 주변을 둘러보았다.

어느새 뒤쫓아 왔는지 경찰 두 명이 테스와 에인절을 향해 다가오고 있었다.

"쉿, 잠이라도 마저 자게 해 주시오!"

에인절이 부탁했다.

이윽고 한 줄기 햇살이 테스의 눈꺼풀 속으로 파고들어 잠을 깨웠다.

"에인절, 무슨 일이에요? 저를 잡으러 왔나요?"

테스가 몸을 일으키며 물었다.

"그래요, 테스. 그들이 왔소."

"에인절, 마지막을 당신과 함께 보내 무척 행복해요."

테스는 경찰을 둘러보며 여유 있게 말했다.

"자, 준비 됐어요."

두 사람의 행복한 시간은 이렇게 끝났다. 자신이 선택한 삶을 후회하지 않는 듯한 테스의 얼굴에 행복한 미소가 번졌다.

PART 3

PART 3 PART 3

PART 3 PART 3 PART 3

PART 3 PART 3 PART 3 PART 3

PART 3 PART 3 PART 3 PART 3 PART 3

PART 3 PART 3 PART 3 PART 3 PART 3 PART 3

PART 3 PART 3 PART 3 PART 3 PART 3

PART 3 PART 3 PART 3 PART 3

PART 3 PART 3 PART 3 PART 3

PART 3 PART 3 PART 3

길어지는 논술

가련한 테스,
그녀의 삶을 집중 분석해 볼까?

PART 3

깊어지는 논술

테스 (Tess of the D'Urbervilles)

토머스 하디가 1891년 발표한 〈테스〉의 원제는 〈더버빌 가의 테스〉이며 '순결한 여성'이라는 부제가 붙어 있어요.

탄탄한 이야기 구성과 사실적인 묘사가 돋보이는 〈테스〉에는 도덕적 편견과 사회의 그릇된 인습에 희생된 불행한 여인의 삶이 비극적으로 그려져 있어요. 순진무구한 테스는 거대한 운명의 힘 앞에 무력하게 무너지기보다는 강인한 생명력으로 삶에 저항해 보지만 그녀를 기다리고 있는 것은 죽음뿐입니다.

운명의 힘이 인간의 삶에 드리우는 비극을 담았음에도 하디의 작품이 오늘날에도 우리에게 감동을 주는 것은 인간에 대한 따스한 시선이 담겨 있기 때문입니다.

▲ 스톤헨지에서 알렉과 달콤한 휴식을 맞본 테스는 죽음 앞에서도 당당한 모습을 보이지요.

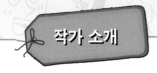

토머스 하디 (Thomas Hardy, 1840~1928)

영국 도싯 주 어퍼보컴프턴에서 태어난 토머스 하디는 석공의 아들로 태어났어요. 런던의 건축 사무소에 들어가 건축 공부를 하는 틈틈이 소설을 썼던 하디는 장편 소설 〈최후의 수단〉을 발표하며 작가의 길에 들어섰어요.

19세기 말 영국 문학을 대표하는 작가 하디의 작품에는 영국 사회 밑바닥에 깔린 그릇된 인습에 대한 저항이 깔려 있지요.

소설가이자 시인이기도 했던 하디는 수백 편의 시를 남기

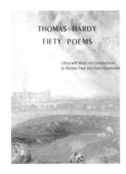

기도 했어요. 하디의 대표작으로는 〈귀향〉, 〈미천한 사람 주드〉, 〈캐스터브리지의 시장〉 등이 있어요.

◀ 토머스 하디는 유명한 시인이기도 했어요.

불운을 탓하면
행복의 문이 닫힌답니다.

운명의 여신이 보내는 잔인한 미소

〈테스〉를 재미있게 읽었나요? 19세기 영국 문학을 대표하는 이
작품은 테스라는 아름답고 순박한 시골 처녀가 욕심과 위선으로
가득 찬 인간들에 의해 희생되고, 마침내 살인죄로 처형되는 비극
을 그리고 있어요.

작가 토머스 하디는 이 작품에서 남자의 이기심과 도덕적 편견,
사회적 인습에 희생된 불행한 여자의 모습을 묘사하는 동시에 인
간의 힘으로는 어찌할 수 없는
운명의 장난을 극적인 구성
으로 표현하고 있어요.

〈테스〉가 발표된 19세기의 영국은 산업 혁명 후 경제적 발전과 식민지 개척으로 번영을 맞이하던 시대였어요. 그러나 사회적으로는 엄격한 윤리 의식과 종교적인 믿음이 강조되고 있었지요. 게다가 여성은 '정숙함'이라는 또 하나의 조건을 충족시켜야만 했어요. 이런 분위기에서 하디는 아무도 문제 삼지 않았던 남녀 관계의 진실한 모습에 대해 영국 사회에 의문을 제기하지요.

때문에 〈테스〉에는 단순한 사랑 이야기를 넘어 시대의 아픔이 절절히 배어 있어요. 하디는 당시의 인습과 위선적인 종교, 어리석은 계급 의식, 경제적으로도 설 땅을 잃어 가는 영국 농촌의 모습을 비판적으로 담아 냈답니다.

하디는 이 작품의 부제를 '순결한 여인'이라 붙였어요. 결혼도 하기 전에 아이까지 낳고 남편에게까지 버림받은 테스를 순결한 여인이라고 하자 당시 독자들은 분노하며 손가락질했으나 하디는 이를 보기 좋게 비웃었어요.

"당신들이 말하는 순결은 어떤 것이오? 순진하고 무지한 시골 처녀가 세상에 농락 당하고 남편에게 버림받지만 그때마다 꿋꿋이 일어나 자신의 두 손으로 삶을 일궈 나가는데 이 가련한 여인이야말로 순결하다고 하지 않을 수 있겠소?"

하디는 당시 사람들의 그릇된 사고에 당당 하게 맞섰어요.

하디의 작품은 거의 대부분 그가 태어나고 소설가로 유명해진 뒤에도 살았던 웨식스 지방을 무대로 하고 있어요. 웨식스는 전설 '아서 왕과 원탁의 기사들'의 무대로 유명한 곳인데 하디의 작품 중에는 이 지역을 배경으로 한 것이 많아요.

이렇게 한정된 지역을 무대로 삼으면서도 하디의 작품은 지방색만을 내세우고 있지는 않답니다. 그의 작품은 주로 거대한 운명에 사로잡힌 인간의 불운과 시련을 사실주의적으로 그려 냈으며 기존 영국 소설의 교훈적, 도덕적 요소를 탈피했다는 점에서 문학적으로 큰 의의를 갖지요.

테스의 강인한 생명력과 삶을 향한 순박한 열정이 매번 과거에 발목 잡혀 꺾이는 게 너무 안타까워.

우리 모두 테스의 삶을 교훈 삼아 운명을 극복해 행운의 여신을 우리 편으로 만들자고.

PART 4

PART 4 PART 4

PART 4 PART 4 PART 4

PART 4 PART 4 PART 4

PART 4 PART 4 PART 4 PART 4

PART 4 PART 4 PART 4 PART 4 PART 4

PART 4 PART 4 PART 4 PART 4

PART 4 PART 4 PART 4 PART

PART 4 PART 4 PART 4

PART 4 PART 4 PART 4

논술 워크북

주인공의 삶을 이해하면
논술도 어렵지 않아!

PART 4

논술 워크북

1-1 테스의 어머니는 처음에 왜 테스를 더버빌 가로 보냈나
   요?

1-2 테스가 알렉을 살해한 까닭은 무엇인가요?

HINT

당시 테스의 집안은 경제적으로 몰락 직전이었어요.
이야기를 끝까지 잘 읽어 보고, 테스의 심리 상태에 대해 생각해 보세요.

2 테스는 괴로워하면서도 에인절에게 선뜻 자기 과거 이야
　기를 하지 못했습니다. 왜일까요? 테스가 이야기하기 망
　설인 이유에 대해 생각해 보세요.

HINT

등장인물의 행동이 나온 배경에 대해 곰곰이 생각해 보세요.

3 만약 여러분이 판사라면 알렉을 죽인 테스에게 어떤 처벌
을 내리겠습니까? 여러분이 판사가 되었다고 상상하고,
생각해 보세요.

HINT

어떻게 해야 정당한 판결을 내릴 수 있을지 생각한 다음에 답해 보세요.

4 테스는 에인절의 과거를 받아들였습니다. 그러나 테스의 과거를 안 에인절은 테스 곁을 떠났지요. 에인절의 생각을 정리하면 '남자는 순결을 잃어도 되지만, 여자는 순결을 잃으면 안 된다.'는 것입니다. 여러분은 이 주장이 옳다고 생각하나요, 옳지 않다고 생각하나요? 여러분의 생각에 따라 이 주장을 옹호하거나 반대하는 논증을 만들어 보세요.

HINT

논술에서 중요한 것은 주장을 뒷받침해 주는 적절한 이유를 제시해 주는 것입니다.

5 다음 글을 읽어 봅시다.

우리 사회에서 일어나고 있는 성폭력 사건을 들여다보면, 충격적인 사실을 발견할 수 있다.

가해자보다 오히려 피해자가 비난을 받는 상황이 종종 발생하는 것이다.

성폭력 피해자 K씨는 사건 뒤에 정상적인 생활을 하지 못하고 있다. 성폭력으로 인한 충격과 고통은 말할 것도 없었지만, 긴 시간 동안 K씨를 괴롭힌 것은 주위의 따가운 시선이었다.

'여자가 행실이 불량했으니, 그런 일을 당하지.'

'더러운 여자다.'

여성의 권리가 높아졌다고는 하지만 아직도 '순결을 잃은 여성'에 대한 사회의 시각은 중세 시대 수준에서 크게 나아가지 못하고 있다.

반면 가해자 남성을 바라보는 시각은 전통적으로 관대하다.

'사내놈이 그럴 수도 있지.'

이런 일이 지금 우리 사회의 음지에서 종종 일어나는 일이다. 그리하여 성폭력의 피해자는 이중의 고통 속에서 살아간다. 대체 언제까지 여성들은 이런 폭력적인 편견 속에서 살아야 하는 것일까?

위의 글과 〈테스〉를 근거로 활용하여 '우리 사회의 남성 우월주의'에 대해 논술해 보세요.

HINT

제시문과 〈테스〉가 어떻게 연관되는지 잘 생각해 보세요.

6 다 쓴 글을 친구나 부모님 앞에서 발표해 보세요. 그리고 듣는 사람이 고개를 끄덕이는지 아니면 고개를 갸우뚱하는지 반응도 살펴보세요. 발표가 끝난 후 평가도 부탁해 보세요.

가이드북
GUIDE BOOK

인습의 굴레에
희생된 테스의 삶이
눈물나게 해.

작품의 전체 줄거리

테스는 순진하고 명랑한 시골 처녀입니다. 어느 날, 테스는 가난한 집안 형편 때문에 더버빌 가문을 찾아갑니다. 여기에서 만난 알렉 더버빌에게 몹쓸 짓을 당하고 원하지 않은 아이를 갖게 됩니다. 테스는 불행을 털어 버리고 새 출발을 위해 톨버데이스 농장으로 가서 일하고, 여기에서 에인절을 만나 사랑에 빠집니다. 과거의 사건 때문에 고민하던 테스는 결혼 직후에 에인절에게 과거를 털어놓고, 에인절은 테스의 곁을 떠납니다. 테스는 가족을 돌보면서 홀로 살아갑니다. 그러던 중 집안에 어려움이 닥치고 이때 알렉의 도움을 받습니다. 에인절은 자신의 행동을 반성하고 다시 테스를 찾아오지만, 테스는 이미 알렉과 함께 살고 있었습니다. 아직도 에인절을 사랑하고 있던 테스는 절망과 분노에 차서 알렉을 살해합니다.

〈테스〉의 의미

영국 소설가 토머스 하디의 작품으로 1891년에 발표되었습니다. 작품의 부제는 '순결한 여성' 입니다.

이 작품은 편견과 그릇된 인습의 굴레에 희생된 한 여성의 삶을 그리고 있습니다. 이야기 속에는 남성들의 이기심과 그로 인해 한 여성의 삶이 무너지는 모습이 잘 나타나 있지요. 작품 속에서 작가는 여성들에게 강요되는 '순결 이데올로기' 에 대한 반성적인 문제 의식을 제기하고 있습니다.

19세기 후반에 씌어진 작품이지만 이 작품이 제기하는 문제 의식은 오늘날에도 유효합니다. 이 작품을 통해서 독자는 우리 사회에 뿌리 깊게 자리 잡은 여성에 대한 폭력적인 이데올로기에 대해 생각해 보고 반성하게 됩니다.

1-1 **사고 영역 _ 사실적 이해**

본문을 잘 읽었는지 확인하는 문제입니다. 1장과 2장을 잘 읽었다면 바르게 답할 수 있습니다.

무능력한 테스의 아버지는 자기 집안인 더버필드 집안은 사실 더버빌 가라는 귀족 가문이며 근처에 같은 성을 가진 부자 친척이 살고 있다는 이야기를 어머니에게 하지요. 테스의 어머니는 경제적으로 도움을 받아 볼 생각으로 테스를 더버빌 가문으로 보낸 것입니다.

1-2 **사고 영역 _ 사실적 이해**

본문을 잘 읽고 사건 개요를 파악했는지 확인하는 문제입니다.

테스는 에인절과 결혼하지만 과거 알렉과 있었던 일로 남편을 떠나보냅니다. 테스는 에인절과 헤어진 뒤 가족을 먹여살리기 위해 알렉과 함께 사는 것을 택합니다. 그러나 에인절이 다시 돌아오자 테스는 사랑하는 사람과 함께 할 수 없게 자신의 인생을 망쳐 버린 알렉에게 분노를 느껴 그를 살해합니다.

 CHECKPOINT

이야기의 발단이 된 부분을 잘 파악하고 있어야 합니다.
사건 개요를 간략하고 명확하게 말할 수 있어야 합니다.

2 사고 영역 _ 비판적 사고

등장인물의 행동을 두고 그 이유를 분석적으로 생각해 보는 문제입니다.

성폭력을 당한 테스는 가해자인 알렉에게 아무런 제재도 가할 수 없었습니다. 오히려 사람들에게 소문이 나서 집 밖에도 나가지 못했으며, 새로운 곳으로 가서는 누군가 자신이 과거에 당한 일을 알게 될까 봐 두려워합니다.

이것은 당시 사회의 분위기가 여성에게 지독하게 순결을 강요했기 때문입니다. 성폭력을 당한 피해자라 해도 사람들은 그것을 여성의 탓으로 돌렸습니다.

테스의 어머니가 테스에게 절대로 과거에 대해 말하지 말라고 당부하는 것을 봐도 당시 분위기가 어떠했는지 알 수 있지요. 사람들이 순결 이데올로기에 사로잡혀 있기 때문에, 또 자신 또한 순결 이데올로기에서 자유롭지 못했기 때문에 테스는 괴로워하면서도 쉽게 말을 꺼내지 못했던 것이지요.

 **CHECKPOINT**

등장인물의 행동 배경이 어떤 것인지 정확히 말할 수 있어야 합니다.

③ 사고 영역 _ 창의적 사고

본문에 나오지 않는 문제에 대해 생각해 보면서, 사고의 폭을 넓힙니다.

이야기의 결말 부분에서 테스는 알렉을 죽인 살인자가 되었습니다. 당연히 경찰들이 테스를 잡아가겠지요. 만약 재판이 열린다고 가정하고, 여러분이 판결을 내린다면 테스에게 어떤 처벌을 내릴 것입니까?

이 사건이 테스가 일방적으로 잘못한 것이라면, 테스에게 망설임 없이 무거운 형벌을 내릴 수 있을 것입니다. 그런데 이 사건에서는 처음에 알렉이 테스에게 무거운 잘못을 저질렀지요. 그러므로 판결을 내릴 때 이 점을 충분히 고려해야 합니다. 테스가 알렉에게 성폭력을 당했다는 것과 그동안 테스가 살아온 과정, 알렉의 말과 행동 등을 잘 고려하여 합리적인 판단을 내려 보세요.

CHECKPOINT

사건을 동기와 과정, 결말을 잘 살펴보고 합당한 처벌은 어떤 것일지 생각해 보세요.

4 **사고 영역 _ 논리적 사고**

하나의 주장에 대해 옹호하거나 반대하는 논증을 만들어 보면서, 자신의 주장을 논리적으로 전개하는 방법을 배웁니다.

'남자는 순결을 잃어도 되지만, 여자는 순결을 잃으면 안 된다.' 는 주장을 옹호하기 위해서는 '순결 문제에 있어서 남자와 여자가 다르다.' 는 점을 설명하고, 어떻게 다른지까지를 말해 줄 수 있어야 합니다. 그런데 이 주장은 일반적으로 타당하지 않은 그릇된 편견과 차별을 근거로 하고 있습니다. 때문에 이 주장이 설득력을 얻기 위해서는 적절하고 타당한 근거를 찾아내는 것이 중요합니다.

반면 위 주장에 반대하는 주장은 '순결 문제에 있어서 남자와 여자는 똑같다.' 는 것으로 정리할 수 있습니다. 이 주장을 뒷받침하기 위해서는 '인간은 평등하다.' 는 것을 근거로 제시해 줄 수 있습니다. 또, '남자는 순결을 잃어도 되고, 여자는 안 된다.' 는 주장의 근거가 그릇된 편견과 차별을 근거로 하고 있다는 것을 꼬집어 반대되는 의견을 반박하는 것도 효과적인 논리 전개의 방법이 됩니다.

CHECKPOINT

설득력 있는 논증을 만들기 위해서는 주장을 뒷받침하는 타당한 이유를 제시해 줄 수 있어야 합니다.

5 사고 영역 _ 논리적 사고

제시문을 잘 분석해서, 논술의 주제와 연관시킬 줄 알아야 합니다.

제시된 글은 우리 사회에서 성폭력 피해자 여성이 오히려 가해자보다 더 고통을 겪고 비난을 받는 현상을 비판하고 있습니다. 이러한 시각은 〈테스〉에서 제기된 '순결 이데올로기'에 대한 비판적 문제 의식과 맥락을 같이합니다. 〈테스〉에서도 제시문과 같이 가해자 남성보다 오히려 피해를 당한 여성이 고통을 받고, 사람들의 외면을 받는 모습이 그려지고 있지요.

문제에서는 제시문과 〈테스〉를 근거로 활용하여 '우리 사회의 남성 우월주의'를 논술하라고 요구하고 있습니다. 그러므로 논술을 쓸 때 성폭력 사건에 대한 사회의 편견 어린 시선과 '순결 이데올로기'를 남성 우월주의를 보여 주는 근거로써 제시해 줘야 합니다. 그리고 남성 우월주의의 문제점을 지적하고, 우리 사회에서 남성 우월주의를 극복해 나가 남녀평등을 이루어야 한다는 결론을 내리는 방향으로 논술의 가닥을 잡을 수 있습니다.

CHECKPOINT

제시문과 〈테스〉의 주제를 바르게 파악해 논술에 활용해야 합니다.

다음은 논술 5단계 문제에 대한 예시 글입니다. 지도에 참고하시기 바랍니다.

　사람이라면 누구나 자신의 권리와 평등을 누릴 권리가 있습니다. 그런데 역사적으로 여성들은 오랫동안 정당한 권리에서 소외 당해 왔습니다. 남성이 여성보다 뛰어나고 더 많은 권리를 갖고 있다는 비논리적인 생각이 널리 퍼져 있었기 때문입니다.

　비논리적인 남성 우월 주의에 기초한 여성 차별 현상은 우리 사회에 아주 뿌리 깊게 퍼져 있습니다. 한국 등 여러 사회에서 나타나는 남아 선호 사상, 남성의 여성에 대한 성폭력들, 아직도 많은 사람들의 머릿속에 자리 잡고 있는 순결 이데올로기 등이 남성 우월 주의를 보여 주는 대표적인 것들입니다.

　과거에 비해서 많이 좋아졌다고는 하지만 우리 사회에서 여성에 대한 폭력과 차별은 여전히 드물지 않습니다. 100년도 더 전에 씌어진 〈테스〉에서 묘사되는 순결 이데올로기가 강요되는 모습과 성폭력 피해자가 가해자보다 더 고통 받고 외면을 당하는 상황이 오늘날에도 거의 비슷하게 일어나고 있는 것을 보면 놀라울 지경입니다.

　오늘날 상식적이고 건전한 생각을 지닌 사람이라면 누구나 백인종이 흑인종이나 황인종보다 더 우월하다고 생각하지 않습니다. 이와 같이 세계 인구의 반을 차지하는 여성이 남성보다 열등하다는 생각은 명백히 잘못된 것임을 알고 남녀평등을 실현하기 위해 노력해야 할 것입니다.